CB031616

COSMOPOLITISMO JURÍDICO

Teorias e práticas de um direito emergente entre a globalização e a mundialização

---

Dados Internacionais de Catalogação na Publicação (CIP)

S162c Saldanha, Jânia Maria Lopes.

Cosmopolitismo jurídico : teorias e práticas de um direito emergente entre a globalização e a mundialização / Jânia Maria Lopes Saldanha. – Porto Alegre : Livraria do Advogado, 2018.

146 p. ; 23 cm.

Inclui bibliografia.

ISBN 978-85-9590-013-4

1. Cosmopolitismo. 2. Cosmopolitismo jurídico. 3. Direito - Filosofia. I. Título.

CDU 340.12
CDD 340.1

Índice para catálogo sistemático:

1. Cosmopolitismo jurídico 340.12

(Bibliotecária responsável: Sabrina Leal Araujo – CRB 10/1507)

Jânia Maria Lopes Saldanha

COSMOPOLITISMO JURÍDICO

Teorias e práticas de um direito emergente entre a globalização e a mundialização

livraria DO ADVOGADO editora

Porto Alegre, 2018

(Edição finalizada em setembro/2017)

Capa, projeto gráfico e diagramação
Livraria do Advogado Editora

Revisão
Rosane Marques Borba

Imagem da capa
freeimages.com

Rua Riachuelo, 1300
90010-273 Porto Alegre RS
Fone: 0800-51-7522
editora@livrariadoadvogado.com.br
www.doadvogado.com.br

Impresso no Brasil / Printed in Brazil

À memória de minha Mãe.

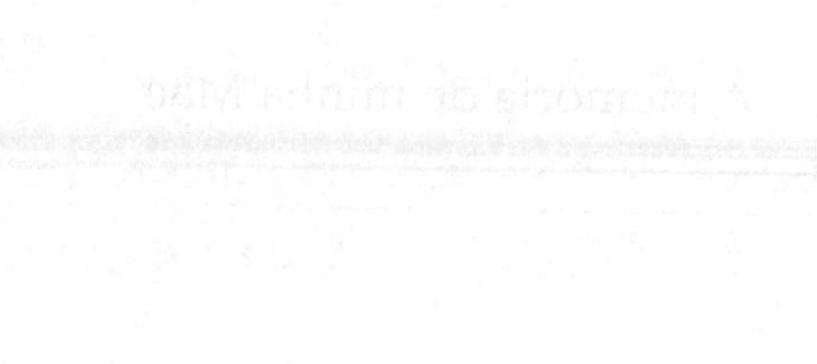

Eu tenho muito a agradecer a pessoas e instituições que me auxiliaram direta e indiretamente a construir esta obra. Sendo extensa a lista, eu sei que serei injusta ao excluir muito mais do que incluir. Esse é o limite daqueles que, como eu, têm a fortuna de ter círculos mais próximos e mais distantes de companheiros existenciais que são entusiastas de meus projetos e ações. A todas essas pessoas eu agradeço.

Malgrado tais limites, sou grata à CAPES pelo apoio financeiro que possibilitou a realização do estágio pós-doutoral, à UFSM e aos meus Colegas do Departamento de Direito pela cooperação, especialmente aos que me substituíram em todas as minhas ausências.

Meu sincero obrigada ao colega e amigo Antoine Garapon por ter-me acolhido incondicionalmente e de maneira generosa para a realização de estágio sênior junto ao IHEJ – *Institut des Hautes Études sur la Justice*, em Paris. Eu também sou muito grata ao Professor Olivier de Frouville da Univesité Sorbonne Paris II por ter aberto as portas de seu curso para mim e pelo apoio institucional que dele recebi. Eu sou grata à boa vontade e amizade dos colegas Anne-Lorraine Bujon de l'Estang e Harold Épineuse e guardarei em meu coração os cuidados discretos que sempre recebi de toda a equipe do IHEJ.

Aos meus alunos por reconhecerem o valor do aprimoramento do conhecimento.

Para Alessia, Fer, Isa e Lu. Paris ficou mais iluminada com vocês.

Meu coração é pleno de gratidão quando penso nos meus mais caros entusiastas: minha família.

Para Geraldo, que me compreende tanto.

De salonique à Bénisaf Combien de route on t'ils croisés? Nos grand parents de fiancés? Combien de doute? De sacrifiés? Pour qu'un jour, notre amour. Combien, de NON, de On ne veut pas d'vous? De Salonique à Bénisaf

(Michel Leclerc e Baya Kasmi)

Sumário

Presentación

Es un honor presentar la obra de la notable profesora brasileña ***Jânia Maria Lopes Saldanha*** dadas sus condiciones académicas, las cuales la llevaron a integrar las asociaciones *Mundial de Justicia Constitucional* y *Colombiana de Derecho Procesal Constitucional*, entre otras, lo cual es motivo de orgullo para quien ostenta la condición de presentador.

La investigadora ***Lopes Saldanha***, es pós-doutora em direito pelo IHEJ, Doutora em direito público da UNISINOS – Universidade do Vale do Rio dos Sinos, professora Associada II do Programa de Pós-graduação em Direito e do Departamento de Direito da UFSM – Universidade Federal de Santa Maria, Professora visitante da Cátedra Simón Bolívar, IHEAL, Université Sorbonne-Nouvelle, Paris III, primeiro semestre do ano escolar 2016-2017, Professora invitada da maestria em Direito Processual da Universidade Libre (Colômbia) y Diretora da Seccione Brasileira da Asociación Mundial de Justicia Constitucional, entre otras distinciones.

La destacada obra intitulada "***COSMOPOLITISMO JURÍDICO: Teorias e práticas de um direito emergente entre a globalização e a mundialização***", es producto de las investigaciones realizadas en el IHEJ – Institut des Hautes Études sur la Justice, de Paris, durante el periodo comprendido entre agosto de 2014 y julio de 2015, la cual, como lo sostiene su autora, en la primera parada de un largo camino por recorrer, lo cual exige que los académicos la acompañen en esta larga travesía que aquí inicia. En efecto, producto de los diálogos interjurisdiccionales en materia de derechos humanos, se viene construyendo una plataforma hermenéutica común necesaria para fortalecer las intrincadas redes interpretativas globales, necesaria para afrontar una moderna comparación y complementación en la promoción y protección de los derechos humanos de los ciudadanos del mundo, no solo en el plano jurídico, sino también en el político y en el social, a la cual el derecho latinoamericano es uno de los mayores aportantes. Por ello el libro que presentamos, hace un recorrido histórico, que nos permite no solamente comprender la expresión objeto de la investigación, sino su evolución desde los antiguos, pasando por los modernos y llegando a los contemporáneos, lo cual permite establecer una clasificación o comparación del cosmopolitismo: extremo y moderado; fuerte y débil; cultural, político o jurídico, entre otros.

Empero, la investigación además se preocupa por establecer los modelos teóricos que explican el cosmopolitismo, lo que permite diferenciarlo del multiculturalismo, pero, sobre todo, se convierte en el principal aporte a la literatura jurídica en el "cosmopolitismo jurídico", evidenciando su existencia, a pesar de partir de una base moral y política,[1] lo cual nos identifica como integrantes de la "raza humana" en el mundo.

La investigación se estructura de la siguiente manera: la primera parte de la obra se ocupa de precisar el cosmopolitismo desde la teoría en cuatro capítulos o dimensiones: filosófica (i); política (ii); jurídico-política (iii) y crítico-social (iv). La segunda parte justifica la existencia del cosmopolitismo jurídico expresada en dos capítulos: uno político (i) y otro jurídico (ii)[2] y por supuesto finaliza con las conclusiones de rigor.

La extraordinaria condición personal y jurídica exhibida en la notable vida académica de la autora, nos brindan la confianza necesaria para presentar su obra a la comunidad académica mundial, como parte de la importante producción intelectual de los miembros de la Asociación Mundial de Justicia Constitucional y de la cual estamos seguros, será un total éxito. En efecto, la trayectoria de mi gran amiga ***Jânia Maria Lopes Saldanha*** constata su asombrosa experiencia, logros académicos y coherencia investigativa.

Las inquietudes presentadas de manera tangencial, con seguridad podrán obtener respuesta en la clara y precisa investigación

---

[1] *Cfr.* Introducción de la obra: "Declaração Universal dos Direitos do homem e do Cidadão de 1789 e encontra na obra kantiana de 1795 a defesa de que todos os seres humanos são membros de uma mesma comunidade moral. Kant é considerado por muitos pensadores contemporâneos o pai do cosmopolitismo jurídico por ter, pela primeira vez, acrescentado uma terceira esfera no direito público, além do direito constitucional e do internacional, a esfera cosmopolita por meio da qual os Estados e os indivíduos têm direitos e onde os indivíduos têm direitos como cidadãos da terra e não como cidadãos de Estados particulares. No final do século XIX Marx e Engels identificaram no cosmopolitismo o anseio capitalista por dominação. Paradoxalmente, o fundamento cosmopolita pode ser encontrado no convite que fizeram aos proletários do mundo a defender seus interesses "comuns"".

[2] La profesora Lopes advierte: "A consolidação que está em curso é apresentada em quatro dimensões, ou seja, por meio de instituições, de espaços públicos cosmopolitas, de normas e de atores (Capítulo III).

presentada por la profesora ***Lopes Saldnha***. Adicionalmente debe resaltarse que se trata de una investigación enriquecida por sus contenidos de carácter histórico, muy bien documentada y propositiva, la cual nos brinda las competencias necesarias para aportar nuestros conocimientos de cultura general en tertulias, concursos y por supuesto en programas de pregrado y posgrado en derecho y carreras afines.

No pretendemos ahondar en la obra, ya que tal cometido le compete al lector, pero sí podemos concluir que se trata de una extraordinaria obra, que sin duda contribuirá en la formación y consolidación de los conocimientos de estudiantes de pregrado, especializaciones, maestrías, doctorados y posdoctorados, así como en el diario trasegar de los operadores jurídicos, tales como jueces, fiscales, procuradores, contralores, abogados, funcionarios de la administración pública, comisionados, *amicus curiae* y auxiliares de la justicia, por lo que no dudamos en recomendarla como obra de estudio y de consulta obligada, para quienes incursionen no solamente en la justicia constitucional, sino en el estudio del derecho en general.

Para concluir, no debo dejar pasar la oportunidad para expresar mi congratulación, ya que tuve el honor de conocer a la profesora ***Jânia Maria Lopes Saldanha*** con ocasión de la realización del primer Congreso Colombiano de Derecho Procesal Constitucional, organizado por la Asociación Colombiana de Derecho Procesal Constitucional a finales de mayo de 2010 en la ciudad de Bogotá, surgiendo desde entonces una gran amistad que nos ha llevado a encontrarnos en diferentes partes del mundo y a construir la Asociación Mundial de Justicia Constitucional, evidenciando el cosmopolitismo que hoy nos lleva a trasegar caminos comunes.

Eduardo Andrés Velandia Canosa

Presidente de la Asociación Mundial de Justicia Constitucional
y de la Ottawa, Canadá, septiembre de 2017

Introdução: do cosmopolitismo da razão à ...

Este livro nasce das pesquisas[1] que desenvolvi junto ao *Institut des Hautes Études sur la Justice* – IHEJ –, de Paris, em nível de Estágio Sênior no período de agosto de 2014 a julho de 2015. Eu fui acolhida por Antoine Garapon e pude aproveitar de toda a riqueza intelectual desse respeitado Colega e de toda a equipe do Instituto, dos infinitos aportes teóricos encontrados nas inúmeras bibliotecas de Paris e da importância temática dos múltiplos colóquios de que participei na França. O projeto inicial destinava-se a pesquisar os diálogos interjurisdicionais, mas já no meio do percurso pude editar com Lucas Pacheco Vieira um livro sobre o tema e na minha volta ao Brasil um outro foi organizado em parceria com Flavia Piovesan.

O tema do cosmopolitismo tem me inquietado há bastante tempo. A ele eu muito recorri para escrever sobre os diálogos interjurisdicionais. Afinal, o que faz com que os juízes do mundo conversem entre si, formal ou informalmente, em matéria de direitos humanos, senão para construir uma base hermenêutica comum destinada a fazer prevalecê-los nas intrincadas redes de relações globais? De fato, algo me impulsionou desde o início a reunir material, a conhecer autores e a descobrir, finalmente, que esse tema tão lindo e tão humano, quanto inesgotável, poderia ser tratado do ponto de vista do direito, mesmo sabendo que nós, juristas, sozinhos, não temos as respostas para as questões que a mundialização[2] nos apresenta. Ao "direito a ter direitos" a que fez referência Hannah Arendt, perguntamo-nos, como o fez Mireille Delmas-Marty, "qual é o papel

[1] Esse período de estudos apenas foi possível porque recebi bolsa CAPES destinada especificamente à realização de estágio sênior, por meio do Processo BEX 2417-14-6.

[2] Neste texto, esta expressão é relacionada à expansão dos direitos humanos em sua dimensão jurídico-político-social. Esse sentido é tomado da doutrina francesa. O uso do termo *globalização* estará relacionado aos interesses da economia.

do direito?". A busca da resposta a essa pergunta é que, fundamentalmente, me conduziu a percorrer muitos caminhos cuja primeira parada é o presente livro.

Ora, desde a Paz de Westfália o direito interno dos Estados apresentou-se como regulador da vida social interna a eles. Por outro lado, com as obras dos pais fundadores do direito internacional, esse surgiu para regular e limitar as relações interestatais. Na segunda metade do século XX e, sobretudo, nestas primeiras décadas do século XXI, o ressurgimento do cosmopolitismo foi um acontecimento induvidoso.

Se o termo "cosmopolita" origina-se da palavra grega "kosmopolitês",[3] cujo sentido é «cidadão do mundo», ela tem sido usada para justificar uma variedade de pontos de vista centrais na filosofia moral e política, na sociologia e no direito.

A doutrina do cosmopolitismo identifica sua existência como relacionada a três fases: a) dos antigos; b) dos modernos e; c) dos contemporâneos. Malgrado essa demarcação temporal, seguramente limitada diante da vastidão do tema, mesmo assim é possível vislumbrar concepções numerosas, distintas, complexas e, por isso mesmo, problemáticas acerca do que se entende por cosmopolitismo. Ora pode ser apontado como cosmopolitismo extremo ou moderado, forte ou débil, quanto um cosmopolitismo mais centrado na cultura ou na justiça. Moderado na medida em que se aproxima do multiculturalismo, da aceitação das pautas da tradição, sem renegar a capacidade de abertura e transformação da própria cultura. Esse cosmopolitismo pode ser identificado como pluralista, na medida em que reivindica a pluralidade cultural e de valores.

O cosmopolitismo rejeita os particularismos fechados e rompe com os localismos, porquanto é da sua essência ser universalista. A sua fórmula combina, portanto, pluralismo, associado ao multiculturalismo e universalismo. Assim, é tendo a diversidade como ponto de partida, e não como ponto de chegada que o cosmopolitismo recorre a alternativas mais gerais, associadas à ideia de valores comuns universalizáveis. Precisamente porque as versões multiculturalistas e cosmopolitas não se excluem, antes são complementares, é que qualquer posição radical inverte suas lógicas e os fragiliza. É que nenhuma cultura poderá sozinha dar todas as respostas que os agentes morais reivindicam para si e tampouco o cosmopolitismo

[3] Veja-se em: Stanford of Encyclopedia of Philosophy, *Cosmopolitanism*, 2002. Disponível em: https://plato.stanford.edu/entries/cosmopolitanism/.

o fará, estruturando-se sobre uma base normativa que esteja alijada das pretensões dos indivíduos, grupos e organizações no plano mundializado.

A pesquisa que realizamos preocupou-se em identificar os inúmeros modelos teóricos que tentam explicar o cosmopolitismo. Por isso, essa não é uma obra que trata do multiculturalismo. Foi desenvolvido um esforço para esboçar um modelo teórico capaz de expressar e comprovar um fenômeno de dupla face. Primeiro o de que a elaboração de um modelo teórico relativo ao cosmopolitismo deve levar em conta que os fatos da vida que circundam os agentes morais nacionais e globais e, desse modo, deve afastar as necessidades de estabelecimento de liames exclusivos com uma dada cultura e impermeáveis a qualquer outra. Segundo, o cosmopolitismo não combina com a desvinculação a qualquer cultura. A complexidade do século em curso torna inexorável a premissa de que os contextos específicos de valor determinados pelas culturas e pelas tradições somente sobrevivem no reconhecimento de que há uma dimensão universalista de valores e vice-versa.

Nossa modesta pretensão com esta obra é a de apresentar ao público o tema do cosmopolitismo a partir da análise dessas posições teóricas variadas. Seria tarefa verdadeiramente impossível, dados os limites que impomos à sua extensão, aprofundar todas elas e, até mesmo, confrontá-las exaustivamente. Por isso, como qualquer obra humana, esta é incompleta e inacabada. Mas o que ousamos fazer foi defender a existência do cosmopolitismo jurídico que, como tal, deverá ter seu *status* de autonomia reconhecido pela comunidade acadêmica. Mas não apenas por esse motivo, e sim, pelo fato de que da maturidade científica será possível extrair soluções aos problemas da mundialização e que apresentam relevância para os homens, para a humanidade e para o planeta.

O cosmopolitismo jurídico existe porque tem uma base moral, uma base política e uma base normativa. A base moral nasce junto à cultura filosófico-política do mundo antigo com Diógenes, o Cínico e resta por ser lapidada pelos estoicos ao introduzirem um elemento prático na sua metáfora da *cosmopolis*, qual seja, o de que um cosmopolita se esforça para servir, enquanto para um não cosmopolita isso realmente não importa. Com Santo Agostinho, o cosmopolitismo estoico repercute na cristandade e na relação entre a autoridade política temporal e a igreja eterna e universal.

A base política encontra apoio se não em todos os modernos, ao menos nos fundamentos da Declaração Universal dos Direitos do Homem e do Cidadão de 1789 e encontra na obra kantiana de 1795 a defesa de que todos os seres humanos são membros de uma mesma comunidade moral. Kant é considerado por muitos pensadores contemporâneos o pai do cosmopolitismo jurídico por ter, pela primeira vez, acrescentado uma terceira esfera no direito público, além do direito constitucional e do internacional, a esfera cosmopolita por meio da qual os Estados e os indivíduos têm direitos e onde os indivíduos têm direitos como cidadãos da terra, e não como cidadãos de Estados particulares. No final do século XIX, Marx e Engels identificaram no cosmopolitismo o anseio capitalista por dominação. Paradoxalmente, o fundamento cosmopolita pode ser encontrado no convite que fizeram aos proletários do mundo a defender seus interesses "comuns".

O cosmopolitismo dos contemporâneos remanesce na base moral e política. Muitas são as versões apresentadas para o cosmopolitismo moral, ora representado pelos cosmopolitas estritos que percebem na ajuda aos estrangeiros uma necessidade, e os cosmopolitas moderados que entendem ser ela cabível apenas depois de cumpridos os deveres com os compatriotas. O cosmopolitismo político ora é associado aos que defendem a existência de um Estado mundial, ora aos que defendem a emergência de um Estado federal dotado de um conjunto mundial de poder coercitivo mas limitado e, outros, ainda, preferem instituições políticas internacionais limitadas a certos domínios específicos como o dos crimes de guerra, do meio ambiente, das novas tecnologias, etc. Ademais, outros defendem a democracia cosmopolita ou o cosmopolitismo republicano.

A base normativa surge ancorada na obra dos neokantianos que entendem deva o cosmopolitismo apresentar uma base institucional e legal com potencial para dar efetividade à concepção de que no centro do cosmopolitismo jurídico estão os indivíduos, a humanidade e o planeta, e não os Estados.

Aprofundar o conhecimento sobre o cosmopolitismo jurídico tem como desiderato combater, de um lado, os nacionalismos exacerbados e, por outro, o "império" do direito internacional. O duplo fenômeno que marca o processo de internacionalização do direito, qual seja, o da constitucionalização do direito internacional e o da internacionalização do direito constitucional nos desafia a pensar no tanto que a porosidade ao internacional apresenta de riscos de hegemonia em face das limitações da normatividade interna. O contrário é verdadeiro quando a projeção para "fora" deriva apenas dos Estados fortes economicamente, impactando as normativas globais destinadas ao conjunto dos Estados e das sociedades e que tomam variadas formas, sejam de tratados e convenções ou de normatividade técnica e de gestão.

Desse modo, o quadro das interações normativas globais que desenham toda a complexidade do pluralismo jurídico contemporâneo convida a que se pense o cosmopolitismo jurídico como a via possível para dar as respostas às demandas por coordenação, harmonização e unificação[4] com vistas a ordenar esse plural, enfrentar os desafios e as debilidades da mundialização e por meio de instituições, meios e atores cosmopolitas, criar condições de proteção e respeito aos valores comuns universalizáveis dentre os quais, os mais privilegiados, são os direitos humanos.

Para justificar tal afirmação na primeira parte da obra nos ocupamos de entender o cosmopolitismo a partir de uma base teórica de quádrupla dimensão: filosófica (Capítulo I); política (Capítulo II); jurídico-política (Capítulo III) e crítico-social (Capítulo IV).

Na segunda parte, eu procurei justificar a existência do cosmopolitismo jurídico a partir da perspectiva de uma prática variável ainda não acabada, mas que se desenvolve como um projeto rumo à consolidação. Coerente com as quatro bases apresentadas na primeira parte, eu apresento a dupla face desse projeto cosmopolita. Uma política (Capítulo I) e outra jurídica (Capítulo II). A consolidação que está em curso é apresentada em quatro dimensões, ou seja, por meio de instituições, de espaços públicos cosmopolitas, de normas e de atores (Capítulo III).

Este livro é, indiscutivelmente, uma obra inacabada em muitos aspectos e em muitos sentidos. Citar dois deles, neste momento, é relevante. O primeiro refere-se à necessidade de aprofundar os estudos sobre a democracia cosmopolita. O estágio a que chegou a comunidade humana não permite abdicarmos dos padrões mínimos conquistados relativos aos direitos humanos e ao estado de direito. O segundo refere-se à lapidação que a teoria do cosmopolitismo, centrada no homem e na humanidade, deve sofrer. Do ponto de vista das "cosmopolíticas", é imperioso inscrever no regime dos titulares de direitos outros entes como os animais não humanos e a natureza. Para isso, a outra via necessária é a ampliação dos deveres. Afinal, a construção moderna que tudo separou não fez mais do

---

[4] DELMAS-MARTY, Mireille. *Les forces imaginantes du droit (II). Le pluralisme ordonné*. Paris: Seuil, 2006.

que ignorar a radical existência híbrida da vida no planeta terrestre. Assim, o que o direito do Século XXI tem a dizer sobre isso?

Comecemos com Glissant, para quem o mundo se "creoliza", e nós somente existimos nos outros.

Parte I

Cosmopolitismo: uma teoria variável em construção

Le monde se créolise, c'est à dire [...] les cultures du monde mises en contact de manière foudroyante et absolument consciente aujourd'hui les unes avec les autres se changent en s'échangeant à travers des heurts irrémissibles, des guerres sans pitié mais aussi des avancées de conscience et d'espoir qui permettent de dire – sans qu'on soit utopiste, ou plutôt en acceptant de l'être – que les humanités d'aujourd'hui abandonnent difficilement quelque chose à quoi elles s'obstinaient depuis longtemps, à savoir que l'identité d'un être n'est valable et reconnaissable que si elle est exclusive de l'identité de tous les autres êtres possibles. Et c'est cette mutation douloureuse de la pensée humaine que je voudrais dépister avec vous.

(GLISSANT, Edouard. *Introduction à une Poétique du Divers*. Paris : Gallimard, 1996, p. 15)

Para conhecer as teorias variáveis utilizadas para compreender-se o cosmopolitismo, o ponto de partida é perceber sua base filosófica. Nesse sentido, o fundamento moral foi o primeiro a darlhe sustentação. Os filósofos do mundo greco-romano foram os primeiros a traçar as ideias cosmopolitas. Para eles, a concepção de que o mundo era formado por uma república regida por uma constituição e por leis explicava o cosmopolitismo (Capítulo I). A sua base política surge bem mais tarde, com os modernos (Capítulo II). A busca da identificação de uma base político-jurídica, ainda inacabada, permitiu perceber que o cosmopolitismo é um universal que se constrói a partir do uso de múltiplas expressões (Capítulo III). Na atualidade, do ponto de vista teórico, olhar para o cosmopolitismo lança o desafio de promover o diálogo entre três dimensões não excludentes quais sejam, a do Estado-Nação, a da solidariedade e a da justiça global (Capítulo IV).

Capítulo I – Uma base filosófica: cosmopolitismo dos "antigos", uma expressão moral

O cosmopolitismo não é algo novo. É tema tão atual quanto controverso. Em verdade, os movimentos – e as contradições – do mundo globalizado fomentaram uma volta aos primeiros pensadores cosmopolitas sobretudo para tentar encontrar respostas para demandas que já não podem ser dadas, ao menos isoladamente, pelo direito nacional e pelo direito internacional. Tal exigência é resultado da superação da visão de mundo reduzida às dicotomias local/global; local/nacional; nacional/internacional.

A história do cosmopolitismo remonta à filosofia do mundo antigo. Na contemporaneidade, para saber-se do que se fala quando o objeto de análise é o cosmopolitismo, é necessário estabelecer a filosofia como ponto de partida. O extenso e variado número de problemas que o mundo experimenta hoje e que seguramente determina o futuro da humanidade e do planeta Terra tem uma dimensão universal. A partir desse viés de análise pode ser dito que o cosmopolitismo oferece elementos não apenas para compreender a mundialização, mas sobretudo, ele coloca em questão o destino das gerações futuras.

A responsabilidade pela humanidade compõe a dimensão filosófica essencial do cosmopolitismo. É, ao mesmo tempo, o que determina seu fundamento ontológico e jurídico, como remarca Yves Charles Zarka.[5] Essa dimensão permite que se faça o reconhecimento da alteridade do outro e a responsabilidade recíproca de cada um frente aos demais, como bem se pode compreender na ética de Lévinas[6] ancorada no cuidado ao "ser do outro-que-si-mesmo" e, portanto, assumidamente comprometida com a não indiferença. Como destaca Zarka, essa é uma dimensão fundamental da condição humana e que nos antecede, sendo, pois, "pré-originária".[7] É justamente nesse antecedente que repousa a nossa responsabilida-

[5] ZARKA, Yves-Charles. *Refonder le cosmopolitisme.* Paris: PUF, 2014, p. 17.

[6] LÉVINAS, Emmanuel. *Entre nós. Ensaios sobre a alteridade.* Teresópolis: Vozes, 2004, p. 269.

[7] ZARKA, Yves-Charles. *Refonder le cosmopolitisme,* op. cit., p. 18.

de pelo outro e é dele que decorre o princípio de humanidade, de raiz estoica,[8] que é da ordem da moral.

Todas as relações humanas construídas com base em convenções e em constituições na história dos diferentes povos se edifica com base nesse princípio. Buscar elementos de análise no cosmopolitismo filosófico dos antigos permitirá uma percepção de dupla face: seu poder de iluminar o cosmopolitismo dos modernos e dos contemporâneos, quanto também vislumbrar seus limites.

Trata-se de preparar o caminho para desenhar-se a arquitetura do cosmopolitismo jurídico como condição para enfrentar-se os desafios concretos que experimenta a humanidade, quanto para projetar perspectivas de futuro. Para que isso ocorra é importante voltar aos antigos entre os quais os primeiros traços do cosmopolitismo apareceram (1.1), quanto também é importante verificar as debilidades dessa construção filosófica (1.2).

1.1. O cosmopolitismo filosófico dos antigos greco-romanos

Descer às raízes cosmopolitas antigas ajuda a compreender e a justificar, na atualidade, que o princípio de humanidade pode ser invocado para fazer a defesa do homem contra qualquer arbítrio estatal ou não. São, portanto, lições não erosionadas pelo tempo e que se perpetuam nas obras de autores contemporâneos.

Não há unanimidade histórico-doutrinária sobre a origem do cosmopolitismo filosófico. Qualquer tentativa de afirmar-se categoricamente as suas raízes corre o risco do erro. Se recorrermos aos pensadores do mundo anglo-saxão,[9] verificaremos que embora não neguem as raízes cínicas e estoicas do cosmopolitismo determinadas por tantos outros autores como o nascedouro dessa filosofia, veremos que em 1526 a.C,[10] no Egito, Anhanaton afirmava que os

---

[8] CANÇADO TRINDADE, A. A.; CANÇADO TRINDADE, Vinícius Fox Drummond. A pré-história do princípio de humanidade fundado no direito das gentes: o legado perene do pensamento estóico. In: CANÇADO TRINDADE, A. A. LEAL, Cesar Barros. *O princípio de humanidade e a salvaguarda da pessoa humana*. Fortaleza, 2016, p. 79. Disponível em: http://ibdh.org.br/wp-content/uploads/2016/02/41216-Livro-em-portugue%CC%82s-O-Princi%CC%81pio-de-Humanidade.pdf.

[9] Há uma numerosa bibliografia. A ideia aqui exposta pode ser encontrada em: BROWN, Garrett Wallace; HELD, David (Org.). *The cosmopolitanism reader*. Cambridge: Polity Press, 2010, Introdução, pp. 1-15.

[10] CITTADINO, Gisele; DUTRA, Deo Campos. Cosmopolitismo jurídico: pretensões e posições na intersecção entre filosofia política e direito. *Nomos*, Vol. 33, n. 1. Revista do Programa de pós-Graduação em Direito da UFC, p. 78. Disponível em: http://www.periodicos.ufc.br/index.php/nomos/article/view/868. Acesso em: 22 de janeiro de 2017.

seres humanos apresentavam deveres morais uns para com os outros. Se nessa fonte o termo *cosmopolitismo* não é encontrado, ao menos dela pode ser extraída a sua categoria moral.

Outra corrente doutrinária afirma ter o termo *cosmopolitismo* origem nas palavras de Diógenes. Foi sua filosofia que serviu de inspiração para muitos filósofos cosmopolitas que viveram posteriormente. É certo que desde Diógenes até os dias atuais o sentido dado ao e a explicação apresentada para o cosmopolitismo são marcadamente diferentes. Veja-se que em um curioso livro denominado "Do que riem as pessoas inteligentes".[11] Manfred Geier lembrou de como Diógenes – o Cínico nascido em Sínope, na costa do mar Negro entre 410 e 400 a.C – ironizou Platão e Alexandre e como no seu cinismo estaria em jogo uma porção de ironia e de comicidade. Tratando de uma filosofia do riso, Geier,[12] invocando reflexão feita por Peter Sloterdijk, pretendeu mostrar que embora Diógenes vivesse em um barril e em meio aos cães, "vivia, ria e cuidava para que ficasse a impressão de que por trás de tudo não estava um desnorteamento, e sim uma clara reflexão".

Há vínculos mais estreitos do que se pode imaginar entre o estranho Diógenes do riso e livre do anseio pela posse de bens materiais e aquele que dizia não ser a *polis* o verdadeiro lugar dos homens, e sim, o mundo, eleito por ele como a verdadeira pátria.

Para Diógenes, a única e verdadeira ordem social encontrava-se somente no universo. Remarca Geier, no entanto, que Diógenes lutava, como cosmopolita, contra as fronteiras da *polis*, "mas não no sentido de uma política mundial globalizante",[13] e sim, no sentido de que os indivíduos autônomos deveriam estar "presos" apenas ao cosmos, única ordem em que cada um poderia ser acolhido. Ele defendia, como séculos mais tarde reafirmou Kant, o direito dos estrangeiros de serem tratados com hospitalidade.

Entretanto, devemos aos filósofos do estoicismo a contribuição mais fundamental para a construção da compreensão filosófica do cosmopolitismo. A Escola Estoica surgiu no Século III a.C e teve em Zenão de Eléia seu mais ardoroso defensor. No coração do pensamento de Zenão estava a ideia de que o "bem é a virtude"[14] e que os homens deveriam viver de acordo com a natureza, sendo esse o

---

[11] GEIER, Manfred. *Do que riem as pessoas inteligentes? Uma Pequena filosofia do humor*. Rio de Janeiro: Record, 2011.

[12] Ibid., p. 97.

[13] Ibid., p. 100.

[14] GOURINAT, Jean-Baptiste. *Le Stoicisme. Que sais je ?* Paris:PUF, 2007, p. 9, 72-76.

fim último dos estoicos e que implicava o dever humano de buscar a reta razão. Para esses filósofos gregos, o homem sábio deveria promover a coexistência de todas as culturas. A filosofia estoica fundava-se na ética, na crença de que cada ser humano carregava o cosmos, não sendo dele separado. Por isso, a virtude significava seguir a natureza e lutar contra a persistência do mal. Antônio Augusto Cançado Trindade e Vinícius Fox Cançado Trindade[15] lembram que essa compreensão foi criticada, em parte, por apresentar um determinismo cósmico, compreensível para o tempo em que foi elaborada e que, por isso, foi modificada pelos estoicos romanos, como Marco Aurélio.

A valorização da atitude correta frente ao universo teve continuidade no pensamento e na obra de outros mestres do estoicismo. A difusão do pensamento estoicista por todo o mundo mediterrâneo no século II a.C. marcou a entrada dessa filosofia em Roma. Durante os dois primeiros séculos da nossa era, o estoicismo se propagou pelo mundo greco-romano envolvendo filósofos e não filósofos, ocupando o pensamento dos escravos e do imperador Marco Aurélio. Ele, assim, torna-se a filosofia dos "mestres de Roma"[16] Sêneca e Marco Aurélio. A exuberância do Império Romano, em grande parte decorrente das vastas conquistas que oportunizaram o contato com os povos dominados, permitiu aos estoicos romanos afirmar ser tal Império a concretização da cosmópolis.[17]

No pensamento desses grandes autores, esquecidos no cotidiano da vida acelerada e pasteurizada do século XXI é que podem ser encontradas as raízes talvez mais sábias do pensamento cosmopolita. Eles ensinavam que a fraternidade universal, baseada no respeito recíproco, era um dever que derivava do próprio ser humano, e não uma imposição exterior de qualquer ente abstrato e superior. A consideração da passagem do tempo e o seu impacto à vida humana, segundo Sêneca,[18] deveria convidar a cada homem recordar do passado, cuidar do presente e responsabilizar-se pelo futuro. Seguramente, além do profundo componente filosófico

[15] CANÇADO TRINDADE, A. A.; CANÇADO TRINDADE, Vinícius Fox Drummond. *A pré--história do princípio de humanidade fundado no direito das gentes*: o legado perene do pensamento estóico, op. cit. p. 52.

[16] GOURINAT, Jean-Baptiste. *Le Stoicisme. Que sais je ?*, op. cit., p. 87-88.

[17] CANÇADO TRINDADE, A. A.; CANÇADO TRINDADE, Vinícius Fox Drummond. *A pré--história do princípio de humanidade fundado no direito das gentes*: o legado perene do pensamento estóico, op. cit., p. 53.

[18] SÊNECA. *A brevidade da vida*. Porto Alegre: L&PM, 2007, p. 70.

dessas reflexões, elas orientam a atitude política que devemos ter uns para com os outros ainda hoje.

No exercício de uma vida virtuosa, para Marco Aurélio – considerado o último dos estoicos e cujo reinado é considerado o apogeu do estoicismo[19] –, não haveria outro império que não o que cada um exerce sobre si mesmo e não haveria outro reinado que não o da comunidade humana.[20] O princípio de justiça, para ele, decorreria dessa prática e dessa percepção. Ambas resultariam da necessidade de ser solidário[21] com o semelhante o que produziria a solidariedade universal. Cícero, simpático ao pensamento estoico, deixou uma vasta obra que retrata o seu profundo comprometimento com a humanidade ao reconhecer não apenas a existência de deveres de uns para com os outros, quanto ter afirmado que tudo o que há na terra destina-se à humanidade.[22]

O uso da *ratio recta* e o sentimento dos filósofos estoicistas de que eram cidadãos do mundo, foram as duas mais relevantes marcas dessa filosofia que, além de cimentar os primeiros ladrilhos da inexorável ligação da existência humana com a solidariedade, também plantou a "semente do princípio de humanidade"[23] que está ao centro do debate sobre o cosmopolitismo na contemporaneidade. Essa percepção é extraída de uma muito particular visão dos estoicos romanos no sentido de que cada indivíduo reunia a comunidade de seu nascimento e a comunidade dos seres humanos.[24] Com efeito, já naquele tempo os filósofos debatiam sobre a existência de um direito comum da humanidade, como pode ser lido nas Cartas a Lucilius[25] de Sêneca. Embora o ensino do estoicismo tenha sido interrompido no século III da nossa era, seus dois princípios fundamentais – *ratio recta* e direito comum – mais tarde foram retomados

---

[19] GOURINAT, Jean-Baptiste. *Le Stoicisme. Que sais je ?*, op. cit., p. 88.

[20] Foi no Relatório da UNESCO de 1948 sobre a Declaração universal dos Direitos humanos que surge o reconhecimento da existência da "comunidade de todos os homens" e o artigo 1° da Declaração faz referência "à família humana". *In:* UNESCO. Human rights. Comments and interpretations. Paris, julho de 1948. Disponível em: http://unesdoc.unesco.org/images/0015/001550/155042eb.pdf.

[21] MARCO AURÉLIO. *Meditações.* Livro 5. Espinho, Portugal, 2002, p. 61. Disponível em: http://www.psb40.org.br/bib/b36.pdf.

[22] CICERON, M. T. *Traité des Devoirs.* Paris: Illyon Maison d' Édition, 2016, p. 31.

[23] CANÇADO TRINDADE, A. A.; CANÇADO TRINDADE, Vinícius Fox Drummond. *A pré-história do princípio de humanidade fundado no direito das gentes: o legado perene do pensamento estóico*, op. cit. p. 65.

[24] NUSSBAUM, Martha. Kant and cosmopolitanism. In: BROWN, Garrett Wallace; HELD, David (Org.). The cosmopolitanism reader, op. cit., p. 29.

[25] SÉNÉQUE. *Lettres à Lucilius.* Lettre XLVIII. Paris. Texte numérisé par S. Schoeffert – Édition H. Diaz, p. 69. Disponível em: http://sescho.free.fr/S%E9n%E8que_Lettres.pdf.

pelos pais fundadores do direito internacional nos Séculos XVI e XVII para fundamentar o *jus gentium* "como direito internacional da humanidade".[26]

As preocupações universalmente partilhadas hoje sobre o futuro da humanidade, expressas, por exemplo, no reconhecimento de um "destino comum" que justificaria a existência do chamado "patrimônio comum da humanidade"[27] que deve ser protegido para as gerações presentes e futuras, tocam cada vez mais os indivíduos sem qualquer consideração às fronteiras nacionais e, confirmam essa herança antiga vinda dos estoicos que, como toda a contribuição teórica ancorada em seu tempo, apresenta insuficiências.

1.2. As insuficiências do cosmopolitismo dos antigos

As ponderações anteriores nos levam a perguntar se, de algum modo, a filosofia dos antigos contribuiu para a elaboração de determinada forma de cosmopolitismo jurídico ou ela restringiu-se ao campo simplesmente da moral.

Sem negar a contribuição do pensamento cínico e estoico para a elaboração do pensamento cosmopolita, percebe-se uma variedade de posições. Tomando-se por referência uma primeira linha de análise, pode-se argumentar que desde o início o pensamento cosmopolita esteve vinculado a alguma pretensão de implementação institucional.

Porém, como refere Brunckhorst,[28] o cosmopolitismo dos antigos, em geral, estava "superficialmente ligado ao poder político e a efeitos de caráter jurídico". Segundo ele, o cosmopolitismo, para os filósofos estoicos, possuía três funções básicas: a) ideológica;[29] b) filosófica prática[30] e; c) lógica e ontológica.[31] A identificação que

---

[26] CANÇADO TRINDADE, A. A.; CANÇADO TRINDADE, Vinícius Fox Drummond. *A pré--história do princípio de humanidade fundado no direito das gentes*: o legado perene do pensamento estóico, op. cit. p. 66/67.

[27] DELMAS-MARTY, Mireille. *Les forces imaginantes du droit. Le relatif et l'universel*. Paris: Seuil, 2004, p. 9.

[28] Todas as considerações estão em: BRUNKHORST, Hauke. Alguns problemas conceituais e estruturais do cosmopolitismo global, p. 11. Disponível em: http://www.scielo.br/pdf/rbcsoc/v26n76/02.pdf.

[29] De transfigurar o império e seu imperador.

[30] De conduzir o ser humano ao discernimento da salvação a partir de uma ordem racional ampla.

[31] De realizar a representação teórica da ordem universal, o que contribuiu para o desenvolvimento do que o autor denomina de "deliberação ética universal".

esse autor faz de uma certa condescendência dos estoicos para com a estrutura de dominação de classe das sociedades em que viveram, justifica seu argumento de que o cosmopolitismo dos antigos não teve qualquer repercussão em termos políticos ou jurídicos para sua época.

Os cínicos foram mais radicais. Numa sorte de "cosmopolitismo negativo"[32] ou cosmopolitismo antijurídico Diógenes afirmava que não possuía casa e que sua pátria era o "cosmos". Com isso recusava, em verdade, todas as instituições da época ao fazer do mundo um lugar para habitar desvinculado de qualquer laço social ou de qualquer espécie de regulação.[33] A imagem de Diógenes, que escolheu viver em um barril e em meio aos cães já foi objeto de muitas representações ao longo do tempo como a que segue, de Jean-Leon Gérôme.[34]

DIÓGENES, 1860

Haveria necessidade de compatibilizar essa tese com outra que defende a existência de traços normativos no cosmopolitismo filosófico dos antigos? Garret Wallace Brown[35] sustenta a existência de três características normativas do cosmopolitismo dos estoicos, a saber: a) os seres humanos fazem parte de uma mesma espécie e, por isso, fazem parte de uma comunidade unificada; b) em face da existência da capacidade humana de racionalizar e que é comum a todos, justifica-se a criação de princípios universais de respeito entre os seres humanos e; c) a razão humana estaria em harmonia com a natureza e a lei universal. Com efeito, parece não haver incompatibilidade entre

[32] Tal expressão é objeto de controvérsias. Veja-se que MOLES, John é contrário a ela e apresenta "cinco" provas de que o cosmopolitismo dos cínicos continha implicações positivas. In: BRANHAM, R. Bracht; CASE, Marie-Odile-Gouzet (Org.). *Os cínicos. O movimento cínico na antiguidade e seu legado*. São Paulo: Loyola, 2007, p. 125-127.

[33] LAURAND, Valéry. Le cosmopolitisme cynique et stoicien. In: DE FROUVILLE, Olivier. *Le cosmopolitisme juridique*. Paris: Pedone, 2015, p. 59.

[34] Disponível em: https://www.google.com.br/search?q=diogene+le+cynique&espv=2&source=lnms&tbm=isch&sa=X&ved=0ahUKEwi_ivDT1eLSAhUBfpAKHSYOAwgQ_AUIBigB&biw=1276&bih=620#imgrc=t10nVuCTvVPMyM.

[35] BROWN, Garret Wallace. Moving from Cosmopolitan legal theory to Legal Practice: models of cosmopolitan law. In: BROWN, Garrett Wallace. HELD, David (Org.). The cosmopolitanism reader, op. cit., p. 249.

essas duas posições, caso aceitemos caracterizar esses traços como normativos.

O problema talvez esteja nos limites e nas insuficiências práticas do cosmopolitismo dos antigos, na medida em que não repercutiu na condição social e política daqueles, seus contemporâneos, que não eram considerados cidadãos, limite esse identificado na própria filosofia de Cícero, como destacam Gisele Cittadino e Deo Campos Dutra.[36]

Embora Seyla Benhabib,[37] uma das referências contemporâneas no trato do cosmopolitismo jurídico, tenha reconhecido a correção do cosmopolitismo moral na medida em que cuida de uma forma de universalismo que considera cada ser humano digno de respeito e atenção e, nesse sentido, ele está de fato ligado às matrizes estoicas, assume compromisso com as matrizes kantianas presentes no livro *À Paz Perpétua*,[38] obra que, segundo ela, possui um caráter essencialmente jurídico, institucional e, também, para nós, político.

Já na era cristã a moral estoica cosmopolita influenciou profundamente a ética da igreja católica[39] naquilo em que essa pretendia em termos de expansão universal. Os primeiros cristãos tomaram emprestada a ideia estoica da existência de duas cidades. Para esse, tanto os habitantes da *polis* quanto os da *cosmopolis* tinham o mesmo dever, qual seja, o de melhorar a vida dos cidadãos. Porém, para os cristãos sobre a cidade terrena havia a cidade divina conforme sugere até os dias atuais a conhecida afirmação "dai a César o que é de César e a Deus o que é de Deus". Assim, a construção teológica dos Cristãos de que todas as nações poderiam tornar-se amigos-irmãos de todos os santos, confirma a existência da *cosmopolis*. Todavia, o pecado original desse cosmopolitismo foi o de justamente ter limitado seu objetivo universalista, ancorado no direito natural, apenas aos fiéis ao dogma cristão, afastando-se assim da ideia de totalidade – de cidadão do cosmos – segundo Diógenes e que estava à base do cosmopolitismo dos estoicos.

---

[36] Esses dois autores apresentam a partir da obra Brown os três princípios normativos citados. CITTADINO, Gisele; DUTRA, Deo Campos. *Cosmopolitismo jurídico*: pretensões e posições na intersecção entre filosofia política e direito, op. cit.

[37] CROCE, Mariano. Vers un projet cosmopolitique. Conversation entre théorie et pratique à propos du cosmopolitisme. Entrevista com Seyla Benhabib e Daniele Archibugi. Réseau Canopé. Cahiers philosophiques, n. 122, ano 2012/2, p. 121. Disponível em: https://www.cairn.info/revue-cahiers-philosophiques-2010-2-page-115.htm.

[38] KANT, I. *À paz perpétua*. Disponível em: http://www.lusosofia.net/textos/kant_immanuel_paz_perpetua.pdf.

[39] AUGUSTIN, Saint. *La cité de Dieu*. Paris: Chez Jacques Lecoffre Et. Cia, Libraires, 1854, p. 422. Disponível em: https://warburg.sas.ac.uk/pdf/bch5895b3258438.pdf.

Como aconteceu com tantos grandes ideais dos antigos filósofos greco-romanos, o cosmopolitismo estoico foi tocado pela passagem do tempo e relegado ao esquecimento. A necessidade de renovação do paradigma que surgiu na baixa idade média e que deu origem ao movimento renascentista nos séculos XIV e XV e, mais tarde, ao iluminismo, possibilitou uma nova mirada sobre os princípios filosóficos e políticos do cosmopolitismo antigo cujo resultado foi a elaboração de uma versão renovada que agregou a ele elementos sociais à base da qual estaria situado o princípio da igualdade.

Os pensadores iluministas, críticos da estrutura feudal, reaproximaram-se dos ideais da antiguidade e defenderam a figura metafórica da "cidade dos homens" como justificativa para que todas as pessoas fossem igualmente tratadas como cidadãos. Essa visão é que, logo após a Revolução Francesa, seria a base do cosmopolitismo jurídico de Kant, ao qual nos dedicaremos mais tarde.

O rompimento com os deuses e a inserção da razão humana ao centro da filosofia dos principais pensadores iluministas foram os dois grandes signos da profunda mudança de paradigma que sacudiu e pôs fim à Idade Média. A passagem de uma era a outra, como o próprio nome indica, configura-se como um processo de várias dimensões e expressões. Assim, a busca em atingir o ideal de igual dignidade para todos os seres humanos e em reconhecer os humanos como indivíduos racionais marcou a filosofia de muitos desses pensadores.

Capítulo II – Uma base política: o cosmopolitismo dos "modernos", autonomia humana e projeto de paz

A passagem do tempo encarregou-se de deixar aos renascentistas e iluministas o trabalho de reconstrução dos estoicistas (2.1). Mas foi Kant que provocou uma profunda mutação no cosmopolitismo dos antigos por ter desenhado as primeiras linhas do cosmopolitismo jurídico-político e histórico, centrado na ideia de federação segundo o direito das gentes e na paz (2.2). Por ser extremamente antropocêntrico, esse cosmopolitismo necessita ser entendido, ter sua importância e atualidade reconhecidas mas, no século XXI deve ser alargado para reincorporar o que dele sempre fez parte, isto é, o cosmos (2.3).

2.1. O cosmopolitismo dos renascentistas e iluministas

Embora jovem e tendo vivido muito pouco Picco Della Mirandola foi o precursor da escola de pensamento que defendeu a centralidade da pessoa humana. Em seu livro *Discurso sobre a Dignidade do Homem*, do ano de 1488, defendeu de maneira luminosa a igual dignidade e o livre arbítrio, ao dizer que cada ser humano é o escultor de si mesmo, que pode ser aquilo que quiser e que ao aspirar as coisas mais altas não deve se contentar com as coisas medíocres.[40] O respeito à singularidade de cada um quanto também ao pertencimento à humanidade[41] consiste, hoje, na base do princípio de humanidade que funda simbolicamente o princípio da dignidade humana. Se a atualidade ao princípio de humanidade é dada pelo direito internacional dos direitos humanos, em sua origem, ele pode ser identificado nas obras dos pensadores renascentistas.[42]

Contemporâneo a Picco Della Mirandola, Erasmo de Rotterdã foi um crítico da supremacia nacional e do fanatismo em suas múltiplas expressões, como o religioso, o moral e o político. A obra *Elogio da Loucura*,[43] até hoje tomada como referência para aqueles que são contrários a toda espécie de discurso e práticas nacionalistas, quando excludentes e violentas, foi o contraponto no Século XV aos fanatismos religiosos e às profundas distorções proporcionadas pela igreja. Erasmo fez do discurso cosmopolita da igualdade humana, com raízes no direito natural, o fundamento para uma vida que, na prática, soube bem aplicá-lo ao viver em vários lugares, renunciando às amarras religiosas ou nacionais.

No século XVI, Juste Lipse será o responsável pela redescoberta do estoicismo na medida em que procurou aproximar a moral estoicista ao cristianismo.[44] No mesmo século, Michel de Montaige, humanista de primeira linha e um viajante contumaz que esteve sempre aberto ao estrangeiro, destacou-se pela crítica ao dogmatismo e à certeza das verdades matemáticas, tendo sido um irrefreável defensor do livre arbítrio e da liberdade humana. Na bela obra que escreveu sobre Montaigne, Stefan Zweig[45] já no último período

---

[40] MIRANDOLA, PICO Della. *Discurso sobre a dignidade do homem*. Lisboa: Edições 70, 2006, p. 61.

[41] DELMAS-MARTY, Mireille. *Le relatif et l'universel*, op. cit., p. 86.

[42] GUILLEBAUD, J-C. *Le principe d'humanité*. Paris: Seuil, 2001, p. 89.

[43] ROTTERDAM, Erasmo de. *Elogio da Loucura*. São Paulo: Martin Claret, 2003.

[44] GOURINAT, Jean-Baptiste. *Le Stoicisme. Que sais je?*, op. cit., p. 112-113.

[45] ZWEIG, Stefan. *Montaigne*. Paris: PUF, 2016, p. 107.

de sua vida marcado pelo profundo desgosto com as atrocidades nazistas, reconheceu no pensador francês um verdadeiro cosmopolita.[46] Montaigne ao afirmar sobre a impossibilidade de alcançar-se a verdade absoluta e ao estabelecer uma relação diferente com o universo, cujo ponto de partida era o de que os homens detinham autonomia moral e eram todos habitantes de um mesmo mundo, mostrou a influência que sobre seu pensamento exerceu a filosofia dos estoicos romanos, especialmente Sêneca.

E do mesmo modo que em nossa época os milagres da ciência e da técnica produzem efeitos tanto para o bem quanto para o mal, o ar dos tempos comprovou ter o mesmo acontecido na Idade Média com tal vigor que o movimento renascentista não foi outra coisa que não um enorme trabalho de resistência dos grandes pensadores do humanismo cosmopolita contra o *status quo* vigente.

Dois grandes filósofos franceses iluministas do século XVII – Descartes e Pascal – foram inspirados pela filosofia dos estoicos. Descartes, em seu livro *Discurso do Método*,[47] fez uma elegia à razão humana dando continuidade ao fio vermelho da filosofia estoica que exaltava o ser humano em seu universo. Pascal,[48] herdeiro de Montaigne, também acreditava na universalidade da razão humana e fundava nela a aposta que os indivíduos deveriam fazer na existência de Deus, embora fosse ela limitada racionalmente, precária do ponto de vista do cálculo e sujeita ao risco da não existência divina. Ele resistiu a acreditar na onipotência da razão humana e trouxe de volta o que o racionalismo havia abandonado, ou seja, a moral representativa de um conjunto de valores transcendentes aos indivíduos. Kant, fonte de nossas inspirações atuais, foi o continuador no século XVIII do cosmopolitismo dos antigos, ao qual agregou elementos políticos e jurídicos que se preservam até os nossos dias.

2.2. *O cosmopolitismo (jurídico?) kantiano: um projeto para a paz*

Antônio Augusto Cançado Trindade e Vinícius Fox Drummond Cançado Trindade[49] lembram que os séculos XVII e XVIII

[46] Montaigne afirmou: "...a diversidade de uma nação a outra me interessa pelo prazer da variedade". MONTAIGNE. Les Essais. Livre III. Chapitre IX. Disponível em: http://maliphane.free.fr/Philosophie/montaigne_michel_de-essais_livre_iii.pdf.

[47] DESCARTES. *Discurso do método*. São Paulo: Nova cultural, 1999, p. 41-42.

[48] PASCAL, B. *Pensamentos*. São Paulo: Nova Cultural, 1999.

[49] *A pré-história do princípio da humanidade...*, op. cit., p. 73.

foram marcados pelo surgimento de uma "terceira geração" de pensadores cosmopolitas. A preocupação com o mundo em sua forma conectada estimulou o diálogo entre teóricos críticos dos regimes políticos da época e das ordens religiosas. Os autores referidos destacam ter sido Voltaire,[50] com seu gênero literário do diálogo filosófico, o precursor da defesa da tolerância e um crítico de qualquer forma de fanatismo por meio do uso da razão esclarecida, aspirações essas retratadas em seu personagem Cândido.

A posição *antiestablishment* de Voltaire restou induvidosa na oposição feroz que fez ao longo de sua vida à igreja e aos jesuítas como teve a oportunidade de demonstrar em seu Tratado da Tolerância[51] relativo ao processo de Jean Calas, mas também na ironia que fez aos Estados em seu Dicionário filosófico.[52]

Se como alguns autores afirmam, a igreja foi a primeira instituição a ter sucesso em suas pretensões cosmopolitas, tornando-se no século XI o primeiro "Estado universal"[53] e a primeira burocracia racional,[54] Voltaire entendia que o cosmopolitismo de base estoicista era a alternativa racional aos nacionalismos e à igreja.

Ainda que tenha vivido no mesmo século que Voltaire, Kant coincidiu com suas ideias filosóficas, e não com sua poesia ou seu teatro. Assim, se há uma herança de Voltaire junto a Kant, ela jamais deixou de ser problemática,[55] pois esse último era, em verdade, contrário às posições pouco otimistas de Voltaire em seu "Cândido". Mas de fato, a admiração kantiana pelo filósofo francês foi ao encontro das perspectivas filosóficas não finalistas e antimetafísicas que Voltaire deixou como herança e que se alinhou às primeiras reflexões que Kant realizou sobre o cosmopolitismo político e jurídico da época moderna.

Esse "cosmopolitismo de convicção",[56] coincidente com os valores nascidos com a época das luzes, tinha uma finalidade precisa:

---

[50] VOLTAIRE. *Cândido ou o Otimismo*. Porto Alegre, L&PM, 1998.

[51] VOLTAIRE. *Traité sur la Tolérance*. Paris: Gallimard, 1975.

[52] VOLTAIRE. *Dicionário filosófico*. São Paulo: Martin Claret, 2004, p. 208.

[53] BRUNKHORST, Hauke. *Alguns problemas conceituais e estruturais do cosmopolitismo global*, op. cit., p. 12.

[54] WEBER, Max. *Economia e Sociedade. Fundamentos da sociologia compreensiva*. 4. ed. Brasília: UNB, 2000.

[55] Uma bela análise sobre a relação de Kant com Voltaire pode ser lida em: MESSAOUDI, Abderhaman. Kant juge de Voltaire. *Revue Philosophique*. Tome 141. Paris: Press Universitaires de France, 2016, p. 307-324.

[56] DUPUY, Pierre-Marie. *Actualité du cosmopolitisme juridique: revenir à Kant pour mieux le dépasser?*, p. 2. Disponível em: https://www.sqdi.org/wp-content/uploads/RQDI_HS201506_18_Dupuy.pdf.

a paz. Embora muitos pensadores[57] antes dele tenham centrado suas reflexões em um projeto de paz, na obra *À Paz Perpétua*, de 1795[58] Kant convidou as Nações a constituírem uma aliança entre os povos. A significativa herança teórica que a fina percepção do filósofo deixou à humanidade e que a distingue de todas as anteriores, é que ele não apenas ousou com sua obra ultrapassar o direito internacional da época, na medida em que a mesma superava a noção de Estado que provinha dos Tratados de Westfália, quanto apresentou um projeto de paz que não estava limitado geograficamente[59] mas, ao contrário, tinha uma extensão cosmopolita. Kant sabia que aquilo que acontecia para além das fronteiras estatais "não era indiferente ao cidadão do mundo".[60]

Ele afirmou que a paz perpétua se fundaria numa relação não excludente, em três níveis,[61] a saber: a) interno – a existência de uma Constituição seria o pressuposto para o desenvolvimento, diante da concorrência internacional; b) internacional – porque os Estados formariam uma federação de Estados livres e sua existência limitaria o afã de os homens, sozinhos, guerrearem. Assim, evitaria que esses sucumbissem; c) cosmopolítico – limitado às condições de hospitalidade universal e porque, do ponto de vista das interações globais, as relações globais exigem relações pacíficas para além da ordem internacional.

O direito cosmopolítico, para Kant, não seria simples filantropia, e sim, direito.[62] Essa sua visão cosmopolítica facilmente deixou entrever a íntima ligação entre o campo da moral e do direito. É por isso que numerosos autores da contemporaneidade, de uma forma ou de outra, afirmam ter sido Kant o precursor do cosmopolitismo do tipo jurídico.

---

[57] Como, por exemplo, Gentilli, Grotius e antes deles Francisco de Vittoria.

[58] KANT, Immanuel. *À Paz Perpétua. Um projeto filosófico*. Disponível em: http://www.lusosofia.net/textos/kant_immanuel_paz_perpetua.pdf.

[59] GUEDES LIMA, Francisco Josivan. A fundamentação moral das relações internacionais pré-jurídicas a partir de Kant. *Contexto internacional*. Vol. 34. N. 2. Rio de Janeiro, 2012, p. 476.

[60] DUPUY, Pierre-Marie. Entre le retour à Kant et son dépassement. In: DE FROUVILLE, Olivier. *Le cosmopolitisme juridique*. Paris: Pedone, 2015, p. 431.

[61] Conforme Soraya Nour, até Kant, o direito tinha duas dimensões: estatal e do direito das gentes. Seguindo a linha da Crítica da razão pura, Kant em uma nota de rodapé de À Paz Perpétua diz que: um único Estado corresponde à categoria da unidade; vários Estados, no direito das gentes, à categoria da pluralidade; todos os seres humanos e os Estados, no direito cosmopolita, à categoria da totalidade sistemática. In: NOUR, Soraya. *À Paz Perpétua de Kant. Filosofia do direito internacional e das relações internacionais.* São Paulo: Martins Fontes, 2004, p. 55.

[62] KANT, Immanuel. *À Paz Perpétua*, op. cit., p. 43.

Seguramente devemos a ele a distinção entre direito e justiça com relação às pessoas que estão fixadas em um Estado e nas relações entre Estados. Entretanto, Kant fez também a distinção entre aquelas e esses últimos e o direito de todas as nações ou direito cosmopolita que lida com as relações de direito e da justiça entre pessoas que não possuem condições de cidadãos de determinadas comunidades humanas, mas são membros da sociedade civil mundial.

A cidadania cosmopolita que deriva dessa ideia faria parte de uma ordem jurídica mundial em que todo ser humano teria direitos em virtude de sua humanidade. A ideia de cosmopolitismo como filantropia ou princípio apenas moral estaria suplantada por uma outra que cuida da integralidade do ser humano. A atualidade da percepção kantiana não cansa de dar mostra nas obras dos mais sensíveis pensadores do século em curso. Sobre isso vale lembrar as sábias palavras de Todorov[63] quando afirmou não ser o humanismo um programa de partido, e sim, muito mais, trata-se de "uma concepção do ser humano e um conjunto de princípios éticos e políticos".

Assim, é na perspectiva da teoria política kantiana que o termo cosmopolita ganha um novo significado que é o de "cidadão do mundo"[64] cujo direito à hospitalidade derivaria do simples fato de pertencer à república mundial que, entretanto, não deveria ser confundida com uma monarquia mundial que, para ele, seria despótica. Assim, os três artigos definitivos da obra *À Paz Perpétua* têm um fundamento jurídico-constitucional,[65] pois para Kant todas as pessoas em suas ações recíprocas devem pertencer a alguma constituição civil. Tal constituição deve estar conforme aos três níveis antes referidos.

Essa fórmula kantiana nos proporciona observar a relação entre o direito e a moral, entre os "valores" de sua época e a "necessidade" de hoje, como mais adiante será tratado. Trata-se de reconhecer que o direito até Kant tinha uma dupla face: nacional e internacional. Em *À Paz Perpétua*, Kant acrescenta essa terceira

---

[63] A referência expressa a riqueza da obra desse autor e uma homenagem a ele no dia da sua morte. A referência está disponível em: http://www.lesinrocks.com/2017/02/07/actualite/disparition-dun-humaniste-tzvetan-todorov-11910987/.

[64] BENHABIB, Seyla. Cosmopolitanism and democracy: Affinities and tensions, p. 33. Disponível em: http://www.yale.edu/polisci/sbenhabib/papers/Cosmopolitanism%20and%20Democracy.%20Affinities%20and%20Tensions.pdf.

[65] NOUR, Soraya. *Os cosmopolitas. Kant e os "Temas Kantianos" em relações internacionais*. Contexto internacional. Rio de Janeiro, vol. 15, n. 1. Janeiro/junho 2003, p. 12-13.

face, dando ao direito um caráter tridimensional ao afirmar que os indivíduos são membros não de um Estado, mas, com esses, fazem parte da sociedade cosmopolita.

No terceiro artigo definitivo do *À Paz Perpétua*, Kant afirma seu caráter jurídico. No entanto ele apresenta uma limitação: afirma que o direito cosmopolita deve restringir-se às condições de uma hospitalidade universal, ou seja, interpretado em sentido contrário ele quer dizer que a pretensão ao estabelecimento sobre o território de outro povo seria incompatível com esse ideal moral. Seguramente essa limitação apregoada por Kant tinha um endereço certo, qual seja, o de criticar duramente os processos colonizadores de sua época e que impunham a superioridade europeia sobre os povos colonizados reduzidos à condição de bárbaros ou incivilizados.

O cosmopolitismo kantiano introduz o elemento legal na doutrina cosmopolita e produz, como efeito, a inserção no direito interno dos Estados e no direito internacional de elementos normativos de justiça global. Com ele, o cosmopolitismo é deslocado do campo puramente moral ou da filosofia política para inserir-se no mundo do direito, deslocamento esse perceptível da hermenêutica e da conjugação dos artigos definitivos primeiro e terceiro da obra *À Paz Perpétua*.

Os pensadores cosmopolitas contemporâneos têm incansavelmente atualizado a obra kantiana. Assim, do mundo ideal dos antigos ao dos valores kantianos, o cosmopolitismo da época atual passou a ser realista em face da globalização de natureza econômica e da necessidade de sua regulação. Então a figura do cosmopolita não só idealizado quanto combatido deixa de ser elitista para tornar-se comum em face dos problemas ambientais, do terrorismo internacional, dos deslocamentos humanos, do efeito destemporalizante e deslocalizante das tecnologias de informação e comunicação, do comércio mundial, enfim, dos fenômenos transnacionais que produzem conquistas positivas, danos e riscos.[66] O que era inacessível, talvez imaginário, transforma-se em experiência pela fusão das interdependências sociais e culturais e, sem que tenhamos escolhido, tal realidade confirma a máxima de Diógenes ao nos tornarmos cidadãos do mundo. Porém, longe estamos de concretizar as nove proposições kantianas de sua "história universal".[67] Mas é

[66] FRYDMAN, Benoit. *Petit Manuel de pratique du droit global*. Bruxelles: Académie Royale de Belgique, 2014.

[67] KANT, I. *Ideia de uma história universal com um propósito cosmopolita*. Lisboa: Lusofia Press. Disponível em: http://www.lusosofia.net/textos/kant_ideia_de_uma_historia_universal.pdf.

possível identificar o cosmopolitismo a partir de alguns conceitos com vocação universal, como é o caso dos direitos humanos. Como será visto adiante, a realidade se tornou cosmopolita e a cosmopolitização, entendida a partir dos fatos concretos, ocorre ao nível das relações individuais e coletivas. Mas ela sofre críticas porque pode apresentar insuficiências que poderão ser completadas com aportes vindos das "cosmopolíticas".

2.3. *As insuficiências dos modernos: cosmopolitismo e/ou "cosmopolíticas"?*

Ainda que neste trabalho nossas reflexões sejam fortemente orientadas pelo cosmopolitismo kantiano, é sabido não ser Kant uma unanimidade. Entretanto, ao invés de nesse lugar admitirmos a negação do cosmopolitismo jurídico como projeto e como realização, tomar em conta distintas posições teóricas é, de fato, muito mais enriquecedor. Assim a proposição cosmopolita ligada ao direito e ao homem no lugar de ser negada deve, antes, ser levada a sério.

Como diz Isabelle Stengers,[68] é preciso "dar atenção" a esse fenômeno, pois as concepções que temos de progresso como uma simples unificação e do papel do direito para que isso ocorra pode, segundo essa autora, nos tornar "perigos públicos".

A própria expressão *cosmopolitismo* é, nessa ótica, colocada em crise. Com efeito, depois de reconhecer a importância dos trabalhos de Ulrich Beck sobre o cosmopolitismo, Bruno Latour atribui a esse autor o rótulo de "etnocêntrico" pelo fato de que o cosmopolitismo teorizado por ele deriva do internacionalismo europeu moderado, cujas noções básicas têm origem no estoicismo e em Kant.

Para Latour,[69] nem os estoicos, nem Kant, tampouco Beck perceberam que o cosmopolitismo que problematiza os conflitos culturais é, ainda assim, insuficiente. A ideia de "cosmos" deve então ser colocada sob interrogação. Para Latour, Beck sofre de um mal que atinge outros sociólogos como ele, qual seja, o de uma "cegueira

---

[68] STENGERS, Isabelle. Une pratique cosmopolite du droit est-elle possible? Entrevista com Laurent de Sutter. *In: Revue Cosmpolitiques. Pratiques cosmopolitiques du droit,* 2004, p. 14-33. Disponível em: http://www.cosmopolitiques.com/sites/default/files/Stengers.pdf.

[69] LATOUR, Bruno. Quel cosmos? Quelle cosmopolitiques? *In:* LOLIVE, Jacques. SOUBEYRAN, Olivier. *L'émergence des cosmopolitiques* – Colloque de Cerisy. Collection Recherches. Paris: La Découverte, 2007, p. 69-84. Disponível em: http://www.bruno-latour.fr/sites/default/files/downloads/92-BECK-LOLIVE-FR.pdf.

antropológica", pois, para eles, a natureza, o mundo e o cosmos simplesmente existem e, se os homens partilham das mesmas características fundamentais, as suas visões do mundo seriam as mesmas.

Ora, essa posição somente se manteria não apenas durante o tempo de permanência na plena capacidade da razão, mas também na capacidade da ciência de determinar, com certeza, o "único cosmos" existente com fundamento na "cidade do mundo" ao qual todos os homens aspirariam. Mas o problema, segundo Bruno Latour, é que esse cosmos único, com pretensões monoculturais, desapareceu. Ou como ele próprio refere em outra obra,[70] ele simplesmente jamais existiu, diante do hibridismo que caracteriza o mundo.

Embora Latour atribua ao cosmopolitismo dos "modernos" o qualificativo de magnífico diz, ao mesmo tempo, que não é possível herdá-lo porque ele "não tem cosmos". Daí ser necessário distinguir "cosmopolitismo" de "cosmopolíticas".

Para o cosmopolitismo de derivação estoica e kantiana ser "cidadão do cosmos" antepõe-se a ser cidadão de um país, ser adepto de uma religião ou ser membro de um grupo. Ao contrário, o termo "cosmopolíticas", criado por Isabelle Stengers[71] no campo da ecologia política, questiona o que se perpetua. Stengers reinventou o termo "cosmopolítico" para lhe dar o significado de "cosmos" e de "política".

A inclusão do cosmos nas "cosmopolíticas" traz como efeito primordial a destruição da concepção moderna de que a política se refere apenas aos humanos. E a presença da política nas "cosmopolíticas" supera a tentação do cosmos a conceber uma lista finita de entidades que devem ser levadas em conta.[72]

O contraste entre as posições de Beck e Stengers é visível e pode constituir uma grande lição por aquilo que mais aglutinam aos estudos do cosmopolitismo do que o que separam. Beck e outros pensadores das ciências sociais veem o mundo como o somatório de culturas e por uma visão global que transcende os conhecidos territórios nacionais. Os conflitos entre os Estados para esses

---

[70] LATOUR, Bruno. *Nous jamais ont été modernes. Essai d`anthropologie symétrique*. Paris: La Découverte/Poche, 1991.

[71] STENGERS, Isabelle. *Cosmopolitiques*. V. 1-7. Paris. La Découverte. Para os propósitos desta obra o volume 7, – Pour em finir avec la tolérance –, capítulo 5, é fundamental. Disponível em: https://monoskop.org/images/a/a7/Stengers_Isabelle_Cosmopolitiques_7_Pour_en_finir_avec_la_tolerance.pdf. Acesso em 17 dezembro de 2016.

[72] Op. cit., p. 72.

autores existem, mas se for possível reconciliá-las ou reconhecer suas diferenças, a paz poderá advir como algo concreto.

Essa forma de compreender o cosmos é para Isabelle Stengers redutora, porquanto limita os autores que podem negociar. Além disso, se o cosmos designa tudo o que existe, a sua compreensão deverá ser alargada ao seu completo sentido que é o de abranger entidades não humanas que participam das ações humanas.

Evidentemente que o paradigma moderno do monoculturalismo cede passo ao "pluriverso"[73] que está associado à noção de hibridismo. A razão pode ser dada a Claude Lévi-Strauss[74] quando afirma que as classificações sociais existem ao preço de laboriosos ajustamentos constantes e recíprocos entre a estrutura social e os sistemas de categorias determinados por certas relações entre os homens e o mundo.

Com base no exposto acima, é inegável que o "cosmopolitismo" difere das "cosmopolíticas" propostas por Stengers. Entretanto, sem negar o *jus cosmopoliticum* kantiano, porquanto inspira os juristas a trabalhar com a noção de hospitalidade universal que deriva da consciência de que a terra é finita, as "cosmopolíticas" tratadas por Stengers podem influenciar enormemente nos debates globais sobre as questões da biodiversidade e socioambientais. O resultado da Conferência internacional sobre o clima, assinada por 195 Estados em dezembro de 2015 em Paris, a COP 21, responde ao chamado das "cosmopolíticas" que se recusam a considerar o futuro do planeta deixando de lado a natureza e os seres não humanos, com os quais os homens coexistem e aos quais estão indelevelmente vinculados, como aos animais não humanos, às florestas, às montanhas, aos mares, às águas doces, às plantas, entre milhares.

É crucial mesmo pensar o que seria o homem sozinho neste universo – sem animais não humanos, sem água e sem plantas – em uma condição sequer comparável ao Robinson Crusoé de Defoe. Assim a orientação das "cosmopolíticas" coloca o não humano na política e o retira do lugar onde a modernidade o colocou, ou seja, no mundo da ciência e da natureza, sem a mediação da cidade.

As cosmopolíticas não se acomodam à ideia universalista da homogeneidade do ser humano, da qual resultaria uma paz igualitária e universal que, a história mostra, não passa de uma ilusão. O

---

73 Op. cit., p. 72.

74 LEVI-STRAUSS, Claude. *La pensée sauvage*. Paris; Plon, 1962, p. 257.

dissenso, a pluralidade de verdades e de mundos,[75] é o que caracteriza a cosmopolítica. Mas essa característica não é incompatível com o cosmopolitismo kantiano. Como referiu Jean-Marie Dupuy: é preciso entender Kant para ultrapassá-lo.

Capítulo III – Uma base jurídico-política: à procura de um conceito

Se o cosmopolitismo emerge não para avalizar o curso das coisas mas para contradizer o que ele tem de injusto, é pertinente reconhecer-se as contradições e similitudes das várias posições de pensadores de diversas áreas com o objetivo de, ao final, identificar se apesar das diferenças o que os move é uma razão harmônica e coerente. Essa percepção seguramente insere o cosmopolitismo no campo mais vasto da teoria da justiça e da teoria social e conduz a que se formule algumas perguntas: as teorias contemporâneas do cosmopolitismo gravitam em torno da cidadania mundial? Ela se tornará simbólica ou deve ser instituída? A cidadania mundial deriva do direito público ou privado?

Se as respostas a essas e tantas outras perguntas estão em construção, muitos caminhos apontam para sua procura, as quais podem ser encontradas fazendo-se o reconhecimento de que o cosmopolitismo é um universal evolucionário (3.1) e de que apresenta múltiplas expressões (3.2).

3.1. Primeira procura: um "universal" evolucionário

Hauke Brunkhorst disse que o cosmopolitismo é uma invenção da evolução. Quando surgiu, ele esteve menos ligado ao poder político e a efeitos de natureza jurídica e mais às ideias filosóficas e religiosas para, mais tarde, vincular-se ao imperialismo, à sociedade de classes e à implementação institucional política e jurídica. O fato é que o cosmopolitismo sempre esteve associado a um conjunto de ideias básicas, que pode ser traduzido por meio de uma só expressão,

---

[75] GUTWIRTH, Serge. Le cosmopolitique, le droit et les choses. AUDREN, F. DE SUTTER, L. (Coord.). Pratiques cosmopolitiques du droit. *Cosmopolitiques. Cahiers théoriques pour l`écologie théoriques pour l`écologie politique*, n. 8, 2004. Paris: L`Aube, p. 77-88. Disponível em: http:www.cosmopolitiques.com. Acesso em 25 de março de 2017.

isto é, a de que ao longo do tempo constituiu-se como um "universal evolucionário".[76]

Mas do que estamos falando quando nos referimos ao cosmopolitismo? Há, de fato, inúmeras definições, o que faz com que tenha um caráter aberto, sempre em construção. Por outro lado, tentar limitá-lo a uma única compreensão implicaria um reducionismo negativo. Entretanto, não enfrentar essa pluralidade pode beirar à anarquia intelectual e à perda de um sentido, embora seja preciso reconhecer que justamente porque a expressão é aplicada em vários domínios, mais difícil será realizar uma análise rigorosa.

Se para a filosofia[77] o cosmopolitismo pode representar um compromisso moral que coloca o amor pela humanidade no lugar do amor pela pátria; se para a sociologia é certo que o indivíduo não está limitado às fronteiras nacionais; se para a teoria crítica o cosmopolitismo representa um universalismo de normas que requer institucionalização para além das fronteiras dos Estados-Nação; para alguns cientistas políticos ele deve adotar a forma jurídica, ser resultado das iterações democráticas e ser também democrático, porque resultado dos princípios da democracia, bem se vê os desafios que são apresentados aos juristas para descobrir qual é o papel do direito na sua conformação.

3.2. Segunda procura: o face a face às múltiplas expressões

Embora como já se fez referência, haja uma vasta nomenclatura relativa ao cosmopolitismo que, seguramente, deriva dos diversos campos de saber a que estão ligados os teóricos que se dedicam ao seu estudo, um recorte talvez um tanto quanto drástico pode apontar a identificação de cinco tipos de cosmopolitismo, tal como se lê em Louis Lourme:[78] a) moral; b) político; c) cultural; d) sociológico e; f) jurídico.

O primeiro – cosmopolitismo moral – interroga-se mais especialmente sobre as consequências morais da reivindicação de uma

---

[76] BRUNKHORST, Hauke. Alguns problemas conceituais e estruturais do cosmopolitismo global, op. cit., p. 10. As mesmas ideias básicas são: a) a de uma comunidade universal; b) a existência de regras procedimentais; c) o direito subjetivo de ouvir e de ser ouvido; d) as leis básicas universais, como a de um tribunal imparcial; e) princípios, métodos e garantias universais; f) princípios universais que não se restrinjam ao oficial ou público mas que se apliquem a situações informais.

[77] NUSSBAUM, Martha. *Patriotism and cosmopolitism.* In: COHEN, Joshua (Org.). For love of Country: debating the limits of patriotism. Boston: Beacon Press, 1996, p. 3.

[78] LOURME, Louis. *Qu'est-ce que le cosmpolitisme?* Paris: Vrin, 2012, p. 17.

cidadania mundial e orienta-se pela existência de um "sentimento cosmopolita", como preconiza Martha Nussbaum,[79] uma das suas principais teóricas. Essa autora defende o retorno da moralidade cosmopolita como uma nova forma de estar no mundo.[80] Mas, de fato, segundo os seus críticos, essa perspectiva apresenta fragilidades, seja porque esse sentimento é inacessível ao comum dos mortais e dependeria de uma sorte de ascese, própria somente dos filósofos, seja porque subestima o patriotismo que, naturalmente, atribui mais preferência aos nacionais do que aos cidadãos do mundo como Cícero propugnava. Em um instigante texto, Olivier de Frouville[81] diz que tanto Martha Nussbaum quanto seus detratores são insuficientes para explicar o cosmopolitismo. O recurso à fenomenologia é que permitiria perceber o outro que está longe de nós por meio do exercício da "emoção cosmopolita", ou seja, "de uma verdadeira compaixão" que teria à sua base a solidariedade.

O segundo – cosmopolitismo político – esforça-se em demonstrar que a organização política internacional não está mais restrita aos Estados nacionais. De sujeitos únicos de direito internacional viram-se acompanhados dos indivíduos, dos grupos de interesses, das pessoas morais e das organizações internacionais públicas e privadas. Bem por isso, é possível admitir que o cosmopolitismo para além do político – no sentido estatal – é metapolítico, pois pode ser considerado o regulador prático do político.[82] Mas por que regulador prático do político? Porque o cosmopolitismo, assim como a economia, não conhece fronteiras. Sendo essas próprias do político, fazem parte de seu DNA. Mas é bem de ver que a fronteira não é um muro. Se ela demarca culturas, línguas e tradições o seu contrário é justamente permitir as trocas e os intercâmbios que o cosmopolitismo reclama.

Talvez mais de uso comum no léxico corrente que os anteriores, o terceiro tipo – cosmopolitismo cultural – envolve duas questões básicas e, amiúde, desafiadoras. A primeira é a de pertencimento a uma cultura particular em um mundo que se globalizou. Então, a pergunta não é se as culturas devem ser preservadas e sim se de fato hoje podemos afirmar a existência do sentido local de

79 NUSSBAUM, Martha. *For love of Country. Debating of the limits of patriotism*. Boston: Beacon Press, 1996, p. 14-15. Também em: Entrevista. Disponível em: http://www.philomag.com/les-idees/reinventons-les-humanites-7908.

80 NUSSBAUM, Martha. *For love of Country...*, op. cit., p. 11-12.

81 FROUVILLE, Olivier de. Qu'est-ce que le cosmopolitisme juridique? FROUVILLE, Olivier de. (Dir.). *Le cosmopolitisme juridique*, op. cit., p. 11-54.

82 ZARKA, Charles-Yves. *Refonder le cosmopolitisme...*, op. cit., p. 8.

uma identidade sempre fechada? Encontramos a resposta em Jeremy Waldron,[83] para quem as misturas cosmopolitas demonstram toda a artificialidade de um pretenso isolamento cultural que, em verdade, não passa de um mito. A segunda consiste em saber como concretamente as sociedades irão se organizar mantendo o local e, ao mesmo tempo, ousando ser cosmopolitas.

Assim, o cosmopolitismo cultural questiona sobre quais normas devem existir para reger uma sociedade cosmopolita. Mais do que antes, agora, Martha Nussbaum[84] pode ajudar nessa compreensão. Ao tratar das capacidades humanas, ela combina a ideia de empoderamento cosmopolítico com as compreensões filosófica e antropológica de cultura. Para isso, diz que a associação entre o exercício de uma "religião da humanidade" com a noção de "decência" pode ser o fermento para a consolidação de uma democracia não apenas universal mas também sensível. O argumento das capacidades, então, seria o elo entre o progresso individual e o progresso das sociedades. Em outras palavras: a cultura e as culturas.

O quarto tipo – cosmopolitismo sociológico – realiza análise ampla da sociedade mundial em duas escalas, isto é, a escala mundial que se caracteriza pelo desenvolvimento das redes[85] globais, das instituições internacionais e dos atores políticos e privados e a escala nacional, cujo interior conhece a experiência da cosmopolitização.

Completando esse quadro, o quinto tipo – cosmopolitismo jurídico – é o que mais interessa aos propósitos desta obra, pois exprime a perspectiva cardinal do pensamento kantiano que interditava tratar o estrangeiro tratado como inimigo e, por isso, garantia-lhe o direito de visita. É por isso que o ideal de construção de uma cidadania mundial que está à base do cosmopolitismo moral e a perda pelo Estado de sua clássica condição de ator exclusivo da mundialização, situação que conforma o cosmopolitismo político, convoca à construção de uma justiça em escala mundial que estaria ao centro do cosmopolitismo jurídico. E assim conduz a duas perguntas:

---

[83] WALDRON, J. What is cosmopolitan? *In: The* jornal of political philosophy, 8/2, 2000, p. 228-229. Disponível em: http://www.worldhistory.pitt.edu/DissWorkshop2011/documents/JeremyWaldronWhatisCosmopolitan.pdf.

[84] NUSSBAUM, Martha. *Capabilités*. Paris: Seuil, 2013. Consultar também: Reply: In defense of global political liberalism. Developement and change. *Forum*, vol. 37, Nov/2006, p. 1313-1328.

[85] Veja-se o belo texto de VENTURA, Deisy. Hiatos da transnacionalização na nova gramática do direito em rede: um esboço de conjugação entre estatalismo e cosmopolitismo. *Anuário do Programa de Pós-Graduação em Direito*. Porto Alegre: Livraria do Advogado, 2007, p. 89-107.

quais são as melhores instituições para fundar esse cosmopolitismo e como podemos criar esse ramo do direito?[86]

Tais perguntas, seguramente viscerais, demonstram a superior necessidade de escaparmos do "contraste canônico", como refere Olivier Remaud,[87] entre um cosmopolitismo do alto e do baixo[88] para que, em boa medida o cosmopolitismo seja de fato e de direito: um sistema político acabado; uma composição de instituições jurídicas mundiais e; uma doutrina filosófica[89] palpável.[90]

Essa reflexão nos impele, inevitavelmente, a continuar com Kant. Integrado nas marcas de seu tempo, o filósofo elaborou o projeto cosmopolítico muito mais tomando em conta a história do que a razão prática. Às transformações político-sociais provocadas pela Revolução francesa somaram-se os efeitos provocados pelo franco desenvolvimento do processo de colonização desenvolvido pelos europeus. Daí ter associado, de maneira restritiva, o direito cosmopolítico ao direito de visita ou de hospitalidade. Não é por acaso que o filósofo se opôs francamente ao direito de estabelecimento sobre o território de outro povo, razão que explica porque teceu uma crítica aguda ao comportamento colonizador europeu que se ancorava no discurso das "nações civilizadas".[91]

Ao formular sua teoria Kant não poderia imaginar que as duas grandes guerras e todas as que vieram depois no século XX e

---

[86] Veja-se que hoje um dos tema centrais da mundialização concerne à RSE – Responsabilidade social das empresas. O relatório elaborado por John Ruggie, nomeado pela ONU exclusivamente para elaborar estudo sobre a relação entre direitos humanos e responsabilidade das empresas transnacionais, demonstra preocupação com a criação de normas comuns. Disponível em: http://www.reports-and-materials.org/sites/default/files/reports-and-materials/Ruggie-report-7-Apr-2008.pdf. Com relação aos resultados desse relatório a manifestação da FIDH – Federação Internacional de Direitos Humanos indica a necessidade de que seja criação de uma corte mundial. Disponível em: https://www.fidh.org/IMG/pdf/FIDH_position_paper_OHCHR_Consultation_FRA.pdf. E no âmbito das discussões contemporâneas sobre a instituição da arbitragem como instância de resolução de conflitos entre as empresas e os Estados em matéria de investimentos vem à tona, para rejeitá-la, a criação de uma corte mundial também para essa finalidade.

[87] REMAUD, Olivier. *Um monde étrange. Pour um autre approche du cosmopolitisme*. Paris: Puf, 2015, p. 5.

[88] *Significa que há uma dicotomia*: de um lado o interesse das elites e, de outro, o das categorias sócio-profissionais.

[89] A expressão é de REMAUD, Olivier. *Um monde étrange. Pour um autre approche du cosmopolitisme.*, op. cit.

[90] De aplicação extremamente dificultada na atualidade. Veja-se a discussão que ocorre na Europa no momento em que este texto é redigido sobre as cotas para os imigrantes, projeto esse rejeitado por inúmeros Estados europeus. Disponível em: http://www.liberation.fr/monde/2015/05/13/migrants-l-europe-invente-la-solidarite-par-quotas_1309047.

[91] NOUR, Soraya. *À Paz Perpétua de Kant.* Filosofia do direito internacional e das relações internacionais, op. cit., p. 57.

neste século fragilizariam, no âmbito da perspectiva histórica, sua posição contrária a existência dos exércitos. Por outro lado, tomada como um vaticínio, a visão cosmopolita do filósofo forneceu as condições teóricas para que o cosmopolitismo fosse pensado como um projeto possível de existência humana. De fato, a modernidade transforma o cosmopolitismo dos antigos marcado pela relação apolítica com o cosmos.

Uma conformação jurídica deveria dar-lhe suporte com o fim de favorecer a criação de um direito comum[92] a todos de modo a reger suas relações e a não perder de vista a necessidade de criar-se uma comunidade de destino.[93] Passar das relações interpessoais para a "vida comum em sociedade", numa sorte de economia da relação com o outro que pode ser explicada a partir da fenomenologia do direito, como refere Olivier de Frouville, é justamente essa consideração da vida comum que permite a passagem do cosmopolitismo moral para o cosmopolitismo jurídico. Essa ética que valoriza a compreensão do outro pode consistir no caminho possível para que se perceba a igualdade, esse componente estruturante da vida social, desde as revoluções americana e francesa, não apenas com base na ideia de "igualdade-participação" quanto também "igualdade redistribuição".[94] Qual é o significado desta percepção? É que criar condições para construir o mundo comum que é a marca do cosmopolitismo pressupõe mais o reconhecimento das diferenças do que tentar construir uma sociedade de iguais.

Em um contexto geopolítico marcado por violência e exclusões, a hospitalidade kantiana tem sido revisitada por inúmeros teóricos nas últimas décadas. Em particular, Jacques Derrida[95] elevou o tema e o tratou em alto nível de excelência filosófica. Ele tomou como ponto de partida as reflexões kantianas que colocaram a hospitalidade na condição de coração do cosmopolitismo e sugeriu fosse traçado um novo mapa, cujo pontos de referência seriam as "cidades refúgio". Entretanto, as forças contrárias – violências e exclusões generalizadas – atuais e poderosas, confirmam o alerta feito por Hannah Arendt[96] em 1951 de que a ideia de hospitalidade

[92] DELMAS-MARTY, Mireille. *Les forces imaginantes du droit (IV). Vers une communauté de valeurs?* Paris: Seuil, 2011, p. 11.

[93] Id.

[94] TAYLOR, Charles. Vivre dans le pluralisme. Entrevista. *Esprit,* nº 408, oct. 2014. Paris.

[95] DERRIDA, Jacques. *Cosmopolita de todos os países mais um esforço*! Coimbra: Minerva/Coimbra, 2001, p. 19.

[96] ARENDT, Hannah. *Origens totalitarismo. Antissemitismo, imperialismo, totalitarismo.* São Paulo: Companhia das Letras, 1989, p. 332.

transcenderia "... a atual esfera da lei internacional, que ainda funciona em termos de acordos e tratados recíprocos entre Estados soberanos; e, por enquanto, não existe uma esfera superior às nações. Além disso, o dilema não seria resolvido pela criação de um 'governo mundial'".

No fundo, a problemática da emergência humanitária representada, por exemplo, pelos significativos deslocamentos humanos da atualidade e pelo tratamento que lhe tem sido dispensado, coloca o cosmopolitismo no regime da urgência e convida a que se reflita sobre a existência, ainda, de um "desvio considerável"[97] entre a generosidade que está na base da hospitalidade universal herdada das Luzes e a realidade histórica para sua efetiva aplicação. Com Derrida, a tradição jurídica continua "mesquinha e restritiva",[98] porquanto comandada pelos interesses políticos e econômicos dos Estados-Nação e, pode-se acrescentar, dos atores privados que detêm a concentração do poder econômico no mundo. Ela age, bem se vê, como uma contraforça ao intento de construir uma comunidade humana de destino. Entretanto, há que se dizer que os intentos voltados à construção de um mundo comum e que deriva de um universo moral compartilhado e reconhecido reciprocamente é que faz da hospitalidade, o elemento central da agenda cosmopolita. Na tragédia "Hécuba",[99] de Eurípedes, podemos identificar a importância que a hospitalidade – *xenía* – assumia no mundo grego, no qual era considerada a relação convencional mais intensa que alguém pode assumir diante de outro. Martha Nussbaunn, ao colocar a hospitalidade no âmbito da moralidade, nos lembra que "o ato de dar e receber hospitalidade impõe obrigações de cuidado e proteção cuja inviolabilidade é fundamental para todas as relações interpessoais...".[100]

Justamente por isso, em relação a essa história longa, de fato, o desafio para a concretização desse projeto faz-se palpitante diante do contexto do mundo globalizado e da crise multifacetária da arquitetura estatal. Tal crise deriva do grau acentuado das relações de interdependência do Estado-Nação, seja pela redefinição de suas funções, pela fragilização de sua singularidade e pela fragmentação

---

[97] DERRIDA, Jacques., op. cit., p. 32.

[98] Id., p. 32.

[99] EURÍPEDES. *Hécuba*. Disponível em: http://www.cch.unam.mx/bibliotecadigital/libros/Euripides/Hecuba.pdf

[100] NUSSBAUM, Martha. *A fragilidade da bondade. Fortuna e ética na tragédia e na filosofia grega.* São Paulo: Martins Fontes, 2009, p. 357-358.

de sua estrutura, como demarca Chevallier[101] mas, também, pela fragmentação e superposição das instituições mundializadas.

Desse ponto de vista, muito mais do que nutrir uma visão romântica da hospitalidade, os atuais teóricos do cosmopolitismo buscam entender cultural, filosófica, jurídica, moral, política e sociologicamente a mundialização tendo à sua base a preocupação com a organização jurídico-política do "universalizável"[102] ou de um possível e desafiador "universalismo universalizável".[103] Claro, as ondas nacionalistas do Século XIX e de parte significativa do Século XX encarregaram-se de relegar o cosmopolitismo, de certo modo, ao lugar das ideologias decadentes.[104] Sem dúvida, como refere com propriedade Ferrajoli,[105] há dificuldades inegáveis para a construção do cosmopolitismo ou do que esse autor denomina de "constitucionalismo global", seja porque há nele forte dose de irrealidade a curto prazo, quanto porque todas as maiores dificuldades – teóricas e práticas – são de caráter político e, invariavelmente, impostas pelos países mais poderosos econômica e politicamente.

Mas, é sabido, uma nova mudança de perspectiva apresentou-se. A renovação dos direitos humanos a partir do fim da Segunda Guerra mundial demarcou uma nova etapa do cosmopolitismo que apela para novas práticas democráticas não restritas aos espaços nacionais. Desse modo, a emergência de outra democracia – constitucional ou alternacional[106] – pode ser o pressuposto básico para que as democracias, em conjunto, exerçam um novo tipo de poder, transnacional – nem nacional e nem internacional – e que tenha condições de considerar de forma legítima as questões comuns da humanidade. Nesse sentido, Pascal Lamy[107] refere que "A emergência de uma 'comunidade' parcial e evolutiva, pautada pela ideia do bem comum[108] que transcenda os espaços nacionais e concretizada

---

[101] CHEVALLIER, Jacques. *O estado pós-moderno*. Belo Horizonte: Fórum, 2009.

[102] DELMAS-MARTY, Mireille. *Les forces imaginantes du droit (IV). Vers une communauté de valeurs?*, op. cit., 377-392.

[103] WALLERSTEIN, Immanuel. *O universalismo europeu. A retórica do poder*. São Paulo: Boitempo, 2007, p. 27.

[104] ALLARD, J. La "cosmopolitisation" de la justice: entre mondialisation et cosmopolitismo. In: *Dissensus. Revue de philosophie politique de l'ULG* – Nº 1 – Décembre 2008, p. 70.

[105] FERRAJOLI, Luigi. *Garantismo. Uma discusión sobre derecho y democracia*. Madri: Editorial Trotta, 2009, p. 116-117.

[106] A expressão é de LAMY, Pascal. *La démocratie-monde. Pour une autre governance globale*. Paris: Seuil, 2004, p. 59.

[107] LAMY, Pascal. *La démocratie-monde. Pour une autre governance globale*, op. cit., p. 60.

[108] A definição de bem comum como um conjunto que sustenta a coexistência e, por consequência, o ser de cada ser humano não está arraigada aos limites territoriais mas, antes, a ideia

por uma ação coletiva com relação aos bens públicos[109] globais identificados em conjunto, é o meio de restaurar o poder e o sentido da democracia". Bem se vê que na raiz desse pensamento está a importante ideia de pluralismo desenvolvida por Santi Romano.[110]

Parece então ser pertinente do ponto de vista teórico acrescentar a essa ideia a alusão à "constituição cosmopolita"[111] realizada por Ferrajoli que, se não abdica de uma postura atenta aos desafios do cosmopolitismo, acaba por reconhecer nos textos internacionais já existentes, como a Carta da ONU, a Declaração Universal dos Direitos do Homem, os dois Pactos de 1966 e as Cartas regionais de direitos humanos europeia, latino-americana e africana, os instrumentos em que pode ser encontrado o "sentido comum" da ordem existente e de seu caráter vinculante, condição essencial para a efetividade dos direitos estabelecidos nestes marcos normativos.

Luca Mezzetti,[112] a propósito do lugar que os textos internacionais protetivos de direitos humanos ocupam na comunidade universal, diz ser a Declaração Universal de 1948 o núcleo basilar do "bloco de constitucionalidade" do direito constitucional internacional. Assim, do caminho do cosmopolitismo dos antigos à condição de cidadão do mundo conhece-se no Século XX um importante avanço vinculado ao surgimento do direito cosmopolita cujo problema ainda visceral é o exercício de um esforço de imaginação coletivo para que sejam criados padrões democráticos compatíveis com as exigências da presente era.[113]

O pressuposto, segundo Ferrajoli, é a substituição da noção de soberania pela de "constitucionalismo",[114] algo que contribuiria favoravelmente para reforçar a edificação da democracia cosmopo-

---

aristotélica de "viver juntos" (*suzein*), de ter relações de afeto e de amizade (*filia*). Ademais, distintos dos bens do "mercado" os bens comuns ou bens coletivos não devem suscitar rivalidades e a quantidade disponível não deverá estar reduzida pelo número de usuários destes bens. Veja-se em: FLAHAUT, François. *Où est passé le bien commun?* Paris: Mille et une nuits, 2011, p. 114-117.

[109] Como por exemplo o meio ambiente e o patrimônio cultural da humanidade. Sobre esse tema consulte-se: KAUL, Inge; GRUNBERG, Isabelle. STERN, Marc. *Les biens publics mondiaux. La coopération internationale au XXIe. siécle.* Paris: Economica, 2002, p. 27-46.

[110] ROMANO, Santi. *O ordenamento jurídico.* Florianópolis: Boiteaux, 2008, p. 137-226.

[111] FERRAJOLI, Luigi. *Garantismo. Uma discusión sobre derecho y democracia.*, op. cit., p. 118.

[112] MEZZETTI, Luca. *Teoria costituzionale. Principi costituzionali – Giustizia costituzionale – Diritti umani – Tradizioni giuridiche e fonti del diritto.* Torino/ Giappichelli Editore, 2015, p. 356.

[113] BENHABIB, Seyla. *Cosmopolitanism and democracy: Affinities and tensions*, op. cit., p. 36.

[114] FERRAJOLI, Luigi. *A soberania no mundo moderno.* São Paulo: Martins Fontes, 2002. Veja-se a reprodução desta ideia em: ARCHIBUGI, Daniele. *La démocratie cosmopolite et ses critiques: une analyse.* Disponível em: http://www.raison-publique.fr/article279.html#nb67.

lita. Essa, minimamente, pressuporia: a) a ocorrência de reformas institucionais; b) a noção de que o pertencimento não é herdado e sim construído e que, para isso, as instituições jogam um importante papel e que; c) a solidariedade que está à base do cosmopolitismo pode ser praticada tendo em conta um horizonte mais largo, sem excluir a heterogeneidade cultural. Evidente, aqui, a convergência de posição com a ideia de Estado constitucional cooperativo integrado na sociedade aberta dos intérpretes, como o descreveu Peter Häberle.[115] e que expressa um modelo de Constituição cosmopolita baseada na interdependência e não no "modelo de autarquia",[116] na recuperação e expansão dos espaços públicos e no princípio democrático.

Mas essa proposição de Ferrajoli o que faz, em verdade, é confirmar mais de dois séculos depois, que a constitucionalização do direito internacional avançou no caminho do cosmopolitismo jurídico apontado por Kant, expandindo-se após a segunda guerra mundial, na forma de instituições internacionais, tratados e procedimentos.

Há de ser reconhecido que a luta dos defensores de direitos humanos contra os riscos globais anuncia a possibilidade de ser construído – ou refundado o que já existe – o que sempre permaneceu na esfera do idealismo: instituições cosmopolitas. Assim, esses riscos de muitas facetas, como os biotecnológicos, os ecológicos, os militares, os econômicos advindos da financeirização do mundo, os separatistas em face dos muros reais ou virtuais erguidos em muitos lugares do globo para atender os imperativos da segurança estratégica[117] são, entre outros, fatores que inscrevem o cosmopolitismo no regime da urgência[118] e lançam a pergunta sobre sua factibilidade não apenas política mas acima de tudo jurídica. A teoria social tenta responder essa interrogação.

---

[115] HÄBERLE, Peter. *Estado Constitucional Cooperativo*. Rio de Janeiro: Renovar, 2007, p. 45.

[116] JULIOS-CAMPUZZANO, Alfonso de. *Constitucionalismo em tempos de globalização*. Coleção Estado e Constituição. Porto Alegre: Livraria do Advogado, 2009, 109-110. O autor indica quatro compromissos relacionados ao modelo do constitucionalismo cosmopolita: a) um contrato global para a satisfação das necessidades básicas; b) um contrato global para a paz; c) um contrato planetário sobre desenvolvimento sustentável; um contrato global democrático para um novo regime político internacional.

[117] FOUCHER, Michel. *L'obsession des frontières*. Paris: Perrin, 2007.

[118] FOESSEL, Michael. *Après la fin du monde. Critique de la raison apocalyptique*. Paris: Seuil, 2012, p. 243.

Capítulo IV – Uma base crítico-social: a democracia cosmopolita

Os teóricos do cosmopolitismo da atualidade insistem que ele não pode existir sem que seja levado a sério o paradigma do Estado-Nação. Nancy Fraser é uma das autoras que se insere no grupo daqueles que, sem abdicar do Estado, identificam na sua abertura ao fenômeno transnacional uma das condições de possibilidade de construção da democracia cosmopolita (4.1). A solidariedade é um elemento que se acopla a tal abertura e que se apresenta como um princípio jurídico maior que compõe o quadro dos elementos do cosmopolitismo normativo proposto por Habermas (4.2). Face à natureza transnacional dos problemas que atingem a humanidade toda inteira, a justiça global entra também na ordem do dia da teoria cosmopolita e é pressuposta neste trabalho a partir das "iterações normativas" identificadas por Seyla Benhabib (4.3).

4.1. O fim do paradigma westfaliano-keynesiano e o papel da teoria crítica

As grandes transformações provocadas pela globalização aos Estados, às relações interpessoais e às identidades nacionais e culturais imprimiram questionamentos sobre diversos conceitos construídos na modernidade em várias áreas do conhecimento humano. Os desafios e os riscos tornaram-se transfronteira na mesma proporção em que as relações humanas passaram a experimentar esta ultrapassagem. O conhecido lugar – do Estado nacional –, com esse alargamento das relações, passou a coexistir com "lugares" novos produzidos pelas comunicações e pelas trocas em rede na sociedade mundial. A noção de lugar, com efeito, perdeu seu sentido espacial e assume o significado de simples existência. Esse é um óbvio reconhecimento dos espaços – ou lugares – virtuais. Além disso, a emergência de novos atores criou novas formas de competitividade com os Estados. Essa descrição mínima é suficiente para demonstrar que a primeira modernidade do nacionalismo metodológico em que a sociedade e o Estado cobriam um mesmo espaço, eram pensados, organizados e vivenciados como "sendo um mesmo limite",[119] ficou para trás no tempo.

[119] BECK, Ulrich. *O que é a globalização?* São Paulo: Paz e Terra, 1999, p. 121.

De fato, o modelo de Estado westfaliano sucumbiu ante o impacto severo de múltiplos fenômenos tanto internos quanto externos. Antoine Garapon[120] identifica três fatores que contribuíram significativamente para essa transformação, quais sejam, a ocorrência de genocídios que colocou no regime da urgência a criação do direito supranacional para garantir determinados direitos fundamentais (a), os processos de descolonização que redesenharam o direito internacional (b) e as trocas econômicas por terem feito emergir um direito do tipo transnacional (c). Garapon, em procedente tom crítico, afirma se a "localização" estava no coração do sistema de Westfália, a "dissociação" foi o resultado da globalização sem controle provocada pelos interesses americanos. Logo, a consequência maior foi a radical transformação da ligação entre o "solo", de um lado e, o "direito", de outro.

Por outro lado, a teoria social não ficou imune à emergência dessas transformações que impactaram um conjunto de conceitos aos quais seus teóricos estavam habituados a trabalhar como sociedade civil, cidadania, instituições públicas e privadas, história nacional, modernidade, soberania, economia nacional, política ligada apenas aos Estados, entre outros. O aparecimento de uma "sociologia da globalização" foi o caminho encontrado por muitos teóricos para fazer face aos desafios que o choque da globalização provocou e que alterou o balanço das ondas no horizonte mundial, quanto para tentar entender as lógicas e as práticas transnacionais.

Contudo, o esforço em compreender os contornos e a substância da sociedade mundial não ficou imune a análises contraditórias, como seria mesmo de se esperar. A partir das duas últimas décadas do século XX, uma bipolarização emergiu no debate teórico. De um lado aqueles que viam na globalização uma saída luminosa para que os Estados resolvessem os problemas que enfrentaram, sobretudo depois da crise do petróleo da década de 70. Os processos de integração regionais e transnacionais de caráter econômico que proliferaram em vários continentes, foram vistos como Éden onde os Estados e as sociedades poderiam construir um futuro promissor. Esse seria o cenário otimista do cosmopolítico onde as crises, as tensões, a produção de novas espécies de vulnerabilidades e relações de poder além fronteiras, causas de exclusões e desigualdades, não foram considerados.

---

[120] GARAPON, Antoine. *La raison du moindre État. Le néoliberalisme et la justice.* Paris : Odile Jacob, 2010, p. 156-157.

Outros, ao contrário, viam e veem a globalização em perspectiva negativa, isto é, como uma decorrência inexorável do universalismo liberal, apresentado em sua versão contemporânea como neoliberal produtora de vulnerabilidades até então desconhecidas e de geometria variável,[121] pobreza, exclusão, exploração da natureza, onde tudo estaria reduzido ao cálculo e à maximização da riqueza, lógica essa compatível com a expansão do capital financeiro internacional e com o interesse das grandes empresas transnacionais. O fim do Estado nacional e da soberania como princípio e como prática era e é para tais autores o objetivo dessas lógicas globais. Daí ser imperioso, para eles, manter a defesa das identidades nacionais e dos interesses locais. De fato, um olhar cuidadoso sobre a ordem pública global permite perceber que enquanto o direito internacional e as grandes potências se ocupam de fazer a guerra para debelar grandes crises, comprometem-se com o processo contínuo de marginalização dos problemas que tocam a grande massa vulnerável da população mundial e que são sentidos nas esferas locais.[122]

É na encruzilhada dessas posições contraditórias que o cosmopolitismo contemporâneo deve ser compreendido. Não será mesmo possível apontar as dimensões positivas da globalização, como o faz Boaventura de Sousa Santos,[123] ao identificar inúmeras "globalizações" e, dentre elas, um lugar para o exercício do "cosmopolitismo emancipatório ou subalterno"?[124] David Harvey,[125] um crítico tenaz da globalização, identifica três possibilidades por meio das quais o cosmopolitismo pode emergir e fazer frente às práticas neoliberais globais, quais sejam: a) a reflexão filosófica; b) o reconhecimento das necessidades sociais e humanas básicas e; c) os movimentos sociais comprometidos com a humanização e a transformação do mundo. Com efeito, como já foi analisado, a reflexão filosófica nutre as reflexões jurídico-políticas do cosmopolitismo do elemento moral necessário para fazer-se a defesa de valores comuns universalizáveis.

---

[121] SOULET, Marc-Henry. La vulnerabilité, une ressource a manier avec prudence. *In:* BURGORGUE-LARSEN Laurence (Dir.). *La vulnerabilité saisie par les juges em Europe.* Paris: Pedone, 2014, p. 12.

[122] KOSKENNIEMI, Martti. *La politique du droit international.* Paris: Pedone, 2007, p. 318.

[123] SANTOS, Boaventura de Sousa. Os processos de globalização. SANTOS, Boaventura de Sousa (Org.). *A globalização e as ciências sociais.* São Paulo: Cortez, 2002, p. 25-94.

[124] SANTOS, Boaventura de Sousa. *Poderá o direito ser emancipatório?* Disponível em: http://www.boaventuradesousasantos.pt/media/pdfs/podera_o_direito_ser_emancipatorio_RCCS65.PDF, acesso em 2 de março de 2017.

[125] HARVEY, David. *EL cosmopolitismo y las geografías de la libertad.* Madrid: Akal Editores, 2017, p. 93-117.

O destino comum da humanidade e do planeta consubstanciam a necessidade de proteção das necessidades humanas básicas em qualquer região e as expressões dos inúmeros movimentos sociais empreendidos pelas minorias em busca de direitos ratificam tais necessidades. E, de outro modo, o fechamento ao nacional *tout court* não imporia o risco de retrocesso social e opressão como se vê, por exemplo, nas políticas repressivas anti-imigratórias de inúmeros países ao redor do globo? O que se quer dizer: nem tanto uma aceitação cega e incondicional da globalização e nem tanto a defesa do nacionalismo e das culturas locais.

Por isso, é prudente analisar-se se o cosmopolitismo emerge apenas como um discurso retórico de um grupo de idealistas desconectados da realidade complexa e turbulenta deste início de século XXI que produz guerras e vulnerabilidades extremas ou, ao contrário, pode constituir-se na chave de uma agenda emancipatória que, ao não excluir os Estados nem a lógica nacional, exige novas formas de solidariedades transnacionais ancoradas na ideia de soberania solidária que pressupõe novas institucionalizações capazes de considerar as demandas globais e locais e a emergência de novos atores que reivindicam novas formas de representação.

É justamente nesta encruzilhada e com vistas a elaborar uma adequada teoria do cosmopolitismo jurídico que o direito tem a aprender com a teoria crítica pois, afinal, elementos centrais da teoria jurídica como Estado, fontes normativas, legitimidade, monismo, dualismo, soberania como dogma, povo como elemento formador do Estado, território nacional, público e privado, cidadania, responsabilidade, entre outros, não explicam sozinhos a intensa permeabilidade entre as esferas local, regional, supranacional e internacional.

Entretanto, há, de fato, um fenômeno curioso que não passou despercebido a Michel Foucher. Em plena era da globalização assiste-se no mundo a uma "obsessão por fronteiras", é dizer, depois de 1991 mais de 28.000 km de novas fronteiras transnacionais foram criados. Jamais, segundo Foucher,[126] tantas fronteiras foram negociadas, demarcadas, caracterizadas, equipadas e vigiadas. Para além de qualquer percepção ingênua, é induvidoso que manter fronteiras é uma forte condição para que os países tenham inserção na economia mundial na medida em que favorecem a determinação de bases produtivas territoriais.

---

[126] FOUCHER, Michel. *L'obsession des frontières*. Paris: Perin, 2007, p. 7-10.

Então parece ser possível afirmar que para o modelo econômico global ultraliberal tanto as fronteiras materiais, quanto o seu esfacelamento simbólico, são necessários na medida em que atendem aos seus interesses de expansão e de dominação. Sabemos que a circulação da economia global não apenas pressupõe, antes, fomenta intensamente a permeabilidade estatal e invade a vida em sociedade produzindo danos diretos e colaterais, estes últimos como uma das dimensões mais surpreendentes da desigualdade social.[127] Justamente neste ponto podemos começar a compreender os esforços da teoria crítica não apenas para colocar a globalização em seu devido lugar, quanto para oferecer alternativas viáveis para um mundo em que a noção ainda reivindicada de território estatal entra em tensão com a de efetividade social que ultrapassa as fronteiras territoriais.

A solidariedade pode, então, ser invocada para dar respostas a essa tensão, razão pela qual é extremamente pertinente pensar em termos de soberania solidária. Por isso, uma das preocupações da teoria crítica é construir a dimensão normativa da solidariedade que tenha uma extensão mundial sendo transformada, assim, em solidariedade cosmopolita e que pressuponha uma sociedade internacional justa.[128] Para explicar essa última se, em um primeiro momento, evocou-se a consideração da distribuição e do reconhecimento, com vista às sociedades nacionais, o desafio maior para a justiça social é tratar da sua dimensão política no contexto global, então em termos de enquadramento dos atores nas disputas por justiça, um dos fatores de legitimidade desta.

Com efeito, as questões vinculadas à justiça tornam-se centrais no pensamento dos teóricos sociais. Uma das teorias contemporâneas mais elaboradas sobre essa fase da modernidade onde predominam as destemporalizações, desespacializações e preocupações com a justiça cosmopolita, é a teoria "pós-westfaliana" de Nancy Fraser. De acordo com essa autora a globalização e os processos de transnacionalização teriam alterado, e muito, a forma de entender a questão da justiça em nível global. A autora argumenta que existem fenômenos, acontecimentos ou ações que, embora ocorram em nível transnacional, afetam as pessoas que estão dentro dos territó-

[127] BAUMAN, Zygmunt. *Danos colaterais.* Desigualdades sociais numa era global. Rio de janeiro: Zahar, 2013, p. 15.

[128] JOUANNET, Emmanuelle. *Qu'est-ce qu'une societé internationale juste ? Le droit international entre développement et reconnaissance.* Paris: Pedone, 2011. A autora nessa obra como as questões que envolvem o direito ao reconhecimento e o direito internacional, no nível ético, podem ser discutidas sem que se recaia no arbítrio ideológico ou da moralização do direito.

rios nacionais. O inverso também é verdadeiro. Muitas vezes as decisões nacionais transcendem as fronteiras dos Estados e, com isso, atingem pessoas que estão fora dessas fronteiras. Traduzidos esses fenômenos, acontecimentos e ações em termos de injustiças globais é que Fraser diz sobre a necessidade de que a justiça atue em escalas para poder enfrentar os efeitos daquelas injustiças como, por exemplo, as prisões ilegais em Guantânamo, o uso de agrotóxicos em dimensão global, a exploração humana nas relações de trabalho por empresas transnacionais estabelecidas em países débeis política e economicamente, a questão nuclear, entre outros.

Todos eles são considerados novos tipos de vulnerabilidades que exigem debates internacionais, uma educação para que nos consideremos e atuemos como "cidadãos do mundo"[129] e, sobretudo, soluções transfronteiras para os problemas globais. Por isso, segundo a autora, a atuação da justiça não poderia mais se dar em escala nacional, devendo contemplar uma pluralidade de escalas de justiça interconectadas ao nível nacional, regional, transnacional e internacional.

A existência dos tribunais internacionais e os diálogos[130] entre esses e as justiças nacionais já contém parte dessa história que ultrapassou o paradigma keynesiano-westfaliano, tão criticado por Fraser. Esse depassamento quer dizer, para Fraser, que as discussões sobre a justiça que se desenrolavam nos espaços nacionais, com a globalização, restaram totalmente desconectadas das lutas por reconhecimento e redistribuição na medida em que essas passaram a ser também globais.

Um dos possíveis caminhos apontados por Fraser foi o de identificar "escalas de justiça"[131] que estão interconectadas e que devem estar preparadas para dar as respostas aos diferentes tipos e dimensões dos problemas gerados pela globalização. Acompanha tal percepção, outra, não menos sofisticada. Fraser destaca que no paradigma westfaliano-keynesiano as lutas por justiça relaciona-

---

[129] FRASER, Nancy. *Les émotions démocratiques. Comment former le citoyen du XXI siècle* ?Paris: Climats, 2010, p, 102.

[130] Sobre esse tema nos permitimos referir: PIOVESAN, Flávia. SALDANHA, Jânia Maria Lopes (Org.). *Diálogos judiciais e direitos humanos*. Brasília: Gazeta Jurídica, 2016.

[131] FRASER Nancy. *Scales of justice: reimagining political space in a globalizing world*. New York: Columbia University Press, 2008. Nesta obra a autora revisa suas teorias e apresenta uma base tridimensional de justiça social, qual seja, a representação. Ela refere que a justiça deve ser compreendida em três dimensões inseparáveis: o reconhecimento social (dimensão cultural); redistribuição igualitária (dimensão econômica) e representação paritária (dimensão política).

vam-se às reivindicações por redistribuição econômica e reconhecimento. Porém, com a crise desse paradigma a agenda passou a apresentar um outro elemento qual seja, para quem se destinam os resultados dessas lutas, uma vez que os riscos globais e a violação de direitos humanos transcenderam às fronteiras nacionais? Então essas lutas passaram a ocorrer no nível do "enquadramento" no debate sobre justiça,[132] ou seja, em termos de representação efetiva nas esferas de poder e decisórias.

A própria autora alarga sua teoria para incluir ao "falso" reconhecimento e à "má" distribuição, a "insuficiente" representação que está relacionada ao enquadramento para participar dos debates, deliberações e decisões que envolvem as questões do mundo globalizado.

É de fato inevitável pensar que se as lutas por justiça em termos de reconhecimento e distribuição tornaram-se globais, o acesso às instâncias de reivindicação e de deliberação deve ter a mesma natureza para então incluir os indivíduos e grupos, cujos laços não seriam mais geográficos, vinculados ao território, e sim, decorrentes do pertencimento à comunidade humana mundial, do que as redes sociais virtuais são hoje o grande expoente. Como lembra Axel Honnet,[133] as experiências de violações de direitos não são apenas individuais mas, sobretudo, coletivas e globais. Elas não apenas fazem emergir uma "semântica coletiva" mas, mais importante que ela, produzem fortes "motivos morais" para as lutas coletivas por reconhecimento.

Assim, a linguagem evidentemente muda. Do paradigma westfaliano-keynesiano passa-se ao paradigma pós-westfaliano que trata de considerar a esfera pública transnacional em termos cosmopolitas. Fraser[134] afirma que tal discussão em termos de justiça apresenta divergências quanto ao fórum a que se pode recorrer, ora transnacionais e cosmopolitas para uns, ora territoriais para outro. Ela continua essa importante análise no que diz respeito ao círculo público dos interlocutores, já que ora é invocada a opinião pública mundial, ora a dos contextos locais. Além disso, discute-se sobre "quem" tem direito à consideração da justiça e sobre o espaço con-

---

[132] PERLATTO, Fernando. Teoria crítica e novos desafios contemporâneos. Globalização, cosmopolitsimo, democracia. *Política e sociedade*. Florianópolis, Vol. 15, num. 34, set/dez., 2016.

[133] HONNETH, Axel. *Luta por reconhecimento. A gramática moral dos conflitos sociais*. São Paulo: Editora 34, 2003, p. 258-259.

[134] FRASER, Nancy. Justiça anormal. *Revista da Faculdade de Direito da Universidade de São Paulo*. V. 108, Jan-Dez/2013, p. 739-768.

ceitual onde as questões de justiça podem surgir, ou seja, ora para questões econômicas de redistribuição, ora para questões culturais de reconhecimento ou para questões de representação política. Todas essas dimensões evidenciam que as questões de justiça hoje são aleatórias e mutantes.

Disso resulta a análise feita por Fraser[135] acerca da justiça "normal" e a da justiça "anormal". Para Fraser, os problemas de redistribuição, de reconhecimento e de representação que emergem das relações globalizadas transformam a justiça de "normal" em "anormal" pelo fato de que existem três núcleos de justiça para os quais a mundialização das relações impõe respostas que já não podem mais ser apresentadas pela justiça da modernidade, então, pela justiça considerada "normal" e que são: a) o "quê" da justiça, na medida em que as reclamações que chegam até ela se encontram em disputa e canalizam valores e visões de mundo extremamente diferentes; b) o "quem" da justiça que coloca em questão o escopo da justiça, o quadro em que ela é aplicada, ou seja, problematiza quem é o "sujeito" da justiça em uma dada situação; c) o "como" da justiça relacionado à sua essência processual e à gramática apropriada para refletir a justiça em determinados casos.

Escapando da opção pela normalidade ou anormalidade, Fraser diz que nenhuma delas fornece a resposta adequada para tratar de forma suficientemente capaz as batalhas e argumentações jurídicas das lutas por redistribuição, reconhecimento e representação em nível global. A adoção de um terceiro gênero de discurso combina mais com as transformações rápidas das reivindicações globais. Ele seria o da "justiça reflexiva"[136] porque encararia os três núcleos da anormalidade o "quê", o "quem" e o "como" como elementos perenes no discurso jurídico. Ela evitaria a paralisia para dar respostas às injustiças de primeira ordem que, de um lado, os discursos de justiça "normal" poderiam provocar e, de outro, porque as anormalidades discursivas poderiam fragilizar os esforços para remediar as injustiças. Essa seria a via possível para expor as injustiças globais contemporâneas e que assume o compromisso com o modelo de justiça cosmopolita.

Nesse sentido, o diálogo com Habermas foi inevitável, na medida em que Fraser, além de anotar os limites da noção de esfera pública apresentada por esse autor, porquanto vinculada à esfera

---

[135] Op.cit., p. 740-743.

[136] FRASER, Nancy. *Justiça anormal...*, op. cit. p. 765-766.

pública burguesa e nacional, diz ser necessário debater sobre as participações deliberativas no plano global.

Com base nesta perspectiva, dois desafios se apresentam: a) como impulsionar os movimentos transnacionais; b) como garantir que tais movimentos estejam conectados com as esferas públicas transnacionais, para que as decisões sejam democráticas. Tanto o primeiro quanto o segundo desafio são viscerais para o desenvolvimento do cosmopolitismo jurídico de que mais adiante será tratado. Inevitavelmente será necessário realizar uma transformação estrutural no que se entende por esfera pública, diante da existência de uma "diáspora de esferas públicas".[137] A solidariedade ingressa no debate como um elemento não apenas moral, mas também jurídico.

4.2. *As duas faces da solidariedade: a necessidade de um cosmopolitismo normativo*

Habermas também é um autor que tem se esforçado para apresentar uma interpretação cosmopolita do mundo. Na obra maior de sua fase pós-marxista, Direito e democracia, do ano de 1997, o autor aborda o "internacional" apenas de forma marginal. Seus argumentos deixam antever que, já naquela época, questões de direito relevantes hoje foram tratadas por ele[138] como o passado e o futuro do Estado nacional, o Estado nacional e a democracia na Europa unificada, a universalidade dos direitos humanos, o desenvolvimento de uma sociedade civil mundial, o Estado cosmopolita e a constitucionalização do direito internacional.

Se em sua obra *A Constelação pós-nacional*, de 1998, Habermas defende o cosmopolitismo a partir da sofisticação das instituições que já existem, em outra ele vai dizer que o projeto kantiano de uma ordem cosmopolita, de um lado, enfrenta a oposição dos realistas que afirmam a precedência do poder sobre o direito e, de outro, dos liberais os quais defendem um *ethos* mundial que deveria ocupar o lugar do direito. No calor do debate entre os idealistas kantianos e os realistas schimittianos, amiúde muito presente no campo das relações internacionais, pelos limites da regulação jurídica na esfera

[137] FRASER, Nancy. On the Legitimacy and Efficacy of Public Opinion in a Post-Westphalian World. In: FRASER, Nancy *et al. Transnationalizing the public sphere.* Cambridge. Polity Press, 2014.

[138] HABERMAS, Jurgen. *Direito e democracia II. Entre facticidade e validade.* Rio de Janeiro: Tempo brasileiro, 1997, p. 279-306.

internacional, surge um desafio maior que é justamente o de saber se o direito é o instrumento adequado para resolver os problemas da paz e da segurança internacional, frente ao papel de grandes potências como o dos EUA.[139] Mesmo com a superação do conteúdo normativo do direito internacional clássico que estabelecia a equiparação formal dos Estados e reconhecia neles os atores exclusivos das relações internacionais, Habermas insiste que ainda existe uma falta de correspondência, na esfera internacional, entre direito e poder. Por essa razão o direito informa as relações dos poderes soberanos, mas "não os doma".[140]

Preocupado com a constitucionalização do direito internacional na prática, Habermas aponta como saída que ela somente existirá por derivação, ou seja, por meio de uma legitimação alcançada previamente pelos Estados democráticos de direito. Tal constitucionalização que restringe a dominação dos Estados mas que, ao mesmo tempo, não é o Estado, só será legítima se garantir minimamente seja na ONU, seja nas instâncias de negociação transnacionais, "algum tipo de respaldo de processos democráticos de formação de vontade e de opinião",[141] em cujo contexto deve estar garantido o acesso igualitário dos cidadãos sobre compromissos políticos por meio de "esferas públicas institucionalizadas, eleições, parlamentos e outras formas de participação".

Entretanto, a omissão na linguagem habermasiana dos intercâmbios comunicativos entre grupos de diferentes partes do mundo, bem como a participação das redes sociais virtuais, todos genuínas mobilizações sociais transnacionais, como a dos Indignados[142] ou da Primavera Árabe ocorridas em 2011, são exemplos de participação e de impacto nas decisões nacionais e globais, é justificada no fato de que a proliferação desses movimentos globais é mais recente do que as reflexões desse autor realizadas na sua obra *A constelação pós-nacional*.

Nessa última obra, Habermas foi cético quanto ao potencial dos direitos humanos de fundamentar um consenso mundial equivalente ao consenso sobre a solidariedade civil nas molduras nacionais. Para ele, a solidariedade civil envolveria uma solidariedade coletiva particular, enquanto que a solidariedade cosmopolita se

---

[139] HABERMAS, Jurgen. *O ocidente dividido. Rio de janeiro:* Tempo Brasileiro, 2006, p. 118.

[140] Op. cit., p. 122.

[141] Id., p. 145.

[142] HESSEL, Stéphane. *!Indignaos! Um alegato contra la indiferencia y a favor de la insurrección pacífica.* Barcelona: Imago, 2011.

apoiaria em um universalismo moral expresso nos direitos humanos.[143] Mas podemos ir mais além que Habermas para visualizar a solidariedade a partir de uma outra perspectiva que não exclui necessariamente a anterior. A exigência de solidariedade hoje é mais forte do que em qualquer outra época. De fato, a interdependência solidária entre os Estados é uma consequência inevitável seja das facilidades quantos dos riscos produzidos pelas novas tecnologias e pela liberação global do comércio. Embora tal vínculo de solidariedade, esses tradicionais atores do direito internacional veem-se tensionados a responder às pressões sociais internas, quanto aos desafios globais, dentre eles, por exemplo, os riscos ecológicos sem precedentes. Partindo-se da premissa de que a solidariedade é um poderoso princípio, pode-se mesmo visualizá-la como uma relevante categoria jurídica que se posiciona entre a globalização e a mundialização. Alain Supiot,[144] com muita pertinência, diz que o recurso ao princípio da solidariedade é verdadeiramente indispensável para que sejam enfrentados os "problemas ecológicos, sociais e monetários engendrados pela globalização, quanto para traçar as vias de uma verdadeira mundialização", ou seja, para "civilizar" o processo da globalização.

Ora bem, hoje, os levantes internos em favor dos radicalismos de direita e, até mesmo, em prol da emergência de novos fascismos, evidenciam a fratura profunda na apontada solidariedade civil interna aos Estados. Por isso, Habermas revisou a posição restritiva ligada ao fato de ser apenas o consenso moral universal que estaria à base dos direitos humanos. Se para ele os direitos humanos formam uma utopia realista, é justamente do vínculo entre dignidade humana e direitos humanos que poderemos extrair as bases mais concretas para o delineamento da democracia cosmopolita. Aqui a noção de democracia transforma-se e amplia-se. Ela não tem fronteiras na medida em que a formação da cidadania cosmopolita que está à sua base, malgrado as fragilidades atuais da cidadania dos Estados-Nação, mostra-se por processos bem visíveis, como é o caso da cidadania europeia que prepara o caminho para a cidadania mundial. Desse ponto de vista, a democracia que pressupõe a emergência dessa cidadania, é um universal em vários níveis que desconhece as fronteiras e que necessita para existir de fato, do reconhecimento

---

[143] HABERMAS, Jurgen. *A constelação pós-nacional.* São Paulo: Littera Mundi, 2001, p. 137.

[144] SUPIOT, Alain (Dir.). *La solidarité. Enquête sur un principe juridique.* Paris: Odile Jacob, 2015, p. 25.

do universalismo da solidariedade. Habermas[145] conseguiu defini-lo com maestria ao afirmar que ele existirá como realidade palpável quando nós relativizarmos nossas formas de existência em razão das pretensões legítimas de outras formas de vida, detentoras de iguais direitos.

A dignidade humana, nesse viés, seria a fonte moral de onde os direitos humanos tirariam seu conteúdo. Esses dois conceitos, somados, formariam a base normativa da agenda cosmopolita, cuja validade derivaria não apenas da normatividade interna, amiúde presente nos textos das Constituições, quanto da normatividade internacional, com pretensão universalista e que está presente nos tratados e convenções internacionais em matéria de direitos humanos e que expressam o duplo fenômeno da constitucionalização do direito internacional e da internacionalização do direito constitucional.[146]

O reconhecimento e a prática da identidade política comum, um dos pressupostos do universalismo cosmopolita defendido por Habermas, levam em consideração que os direitos humanos não podem contradizer a soberania popular, já que ambos são cooriginários. Mas como construir tal identidade política comum em meio a tantos fatores que nos diferenciam, seja quanto ao bem, às crenças, aos projetos de vida e aos valores que definem nossas identidades? Os problemas globais sentidos em qualquer lugar do globo que nos tocam direta ou indiretamente imprimem um movimento compreensivo alargado para reconhecer na existência de espaços públicos globais, nos debates, nas disputas e nas argumentações globais enormemente facilitados pelos meios de comunicação e informação virtuais e pela organização da sociedade em grupos de interesses.

Obviamente que Habermas não desconsiderou a boa dose de arbítrio que está escondida e ancorada por trás dos discursos de afirmação dos direitos humanos transfronteiras. Mas, como diz o próprio autor, esses perigos não podem fragilizar o valor moral dos direitos humanos que, para escapar dessas armadilhas, deverão expressar que as transferências de competências do plano nacional ao internacional devem resultar de decisões tomadas em contextos democráticos.[147]

---

[145] HABERMAS J. *De l'usage politique des idées*. Paris: Fayard, 2005, p. 21.

[146] SLAUGTHER, Anne-Marie. BURKE-WHITE, W. The future of international law is domestic (or, The European Way of Law). *Harward International Law Journal*. Vol. 47. Num. 2, 2006.

[147] *Sobre a constituição da Europa: um ensaio*. São Paulo: Editora UNESP, 2012, p. 56.

O destino comum a que os homens e a natureza estão jogados transcendem os interesses dos Estados-Nação e chama pela consolidação da comunidade cosmopolita composta por cidadãos do mundo que fazem parte, com outros atores, da opinião pública global.[148] O republicanismo kantiano que ilumina o cosmopolitismo parte de uma justificativa não religiosa e pós-metafísica dos direitos humanos e, assim, é um poderoso argumento em favor do reconhecimento deste destino comum. A necessidade de realizar uma estreita articulação entre cidadania mundial, destino comum, direitos humanos e cosmopolitismo confirma a alusão de Hannah Arendt[149] de que os direitos humanos não são um dado, mas um construto, não obedecem uma história linear, não são fruto do acaso, tampouco da natureza. Nesse sentido, os direitos humanos apresentam-se em relação ao cosmopolitismo como a justificativa de fundamento normativo que embasa os princípios do Estado de Direito, da democracia, do direito racional e delineam o fundamento profano de uma ética com sentido universal que reclama por justiça global.

4.3. *Cosmopolitismo e justiça global: a via das "iterações normativas"*[150]

O trabalho de compreensão do modelo econômico ultraliberal global e os desafios para compreender-se o cosmopolitismo contemporâneo, como já dito, é uma tarefa de muitos.

Seyla Benhabib tem-se ocupado dessas questões no ponto específico em que envolvem o fenômeno da globalização e os processos de integração transnacionais e na medida em que ambos, apresentam como desafio maior a necessidade urgente de conciliar as aspirações universalistas relativas aos direitos humanos e as necessidades diferentes, particulares e concretas de indivíduos e grupos ligados por laços religiosos, linguísticos, étnicos e culturais.

Os trabalhos de Benhabib das últimas décadas evidenciam os esforços desta autora em elaborar uma teoria crítica do cosmopo-

---

[148] Op., cit., p. 133.

[149] ARENDT, Hannah. *Origens totalitarismo. Antissemitismo, imperialismo, totalitarismo,* op. cit. p. 326-327.

[150] BENHABIB, Seyla. *Cosmopolitanism and democracy*: Affinities and tensions, p. 37-38. Disponível em: https://campuspress.yale.edu/seylabenhabib/files/2016/05/Cosmopolitanism-and-Democracy.-Affinities-and-Tensions-16zab68.pdf. Também em: BENHABIB, Seyla. Claiming rights across Borders: International human rigths and democratic sovereignth, p. 697-699. Disponível em: http://www.yale.edu/polisci/sbenhabib/papers/Claiming%20Rights%20Across%20Borders.pdf.

litismo e justiça global. Longe de qualquer posição naïf, Benhabib analisa a complexidade do mundo global a partir de seus pontos negativos e positivos. Negativos naquilo que podemos falar de aspectos hegemônicos nos movimentos de interações transnacionais. Positivos naquilo que pode ser identificado como a força emancipatória dessas mesmas interações. Na perspectiva de sua compreensão de democracia deliberativa, ela defende as condições de possibilidade do conjunto normativo transnacional para sustentar um projeto de solidariedade transnacional.

Desde o final da Segunda Guerra Mundial, de fato, o mundo tem testemunhado a ampliação e a sofisticação de tratados internacionais protetivos dos direitos humanos, como a Declaração Universal dos Direitos Humanos e textos específicos destinados à proteção dos direitos de grupos específicos, como os migrantes, os refugiados, as mulheres e as crianças. Porém, análise percuciente de Benhabib destaca que essa evolução normativa enfrenta muitas contradições e movimentos pendulares. Um deles deriva justamente da interrelação entre os interesses nacionais e as reivindicações de natureza cosmopolita para além do Estado nacional. De uma parte, trata-se de identificar e considerar o nível de tensão entre a busca por autonomia e autodeterminação, tema que ocupa a atenção dos pensadores críticos[151] do cosmopolitismo e, de outra, as demandas pelo reconhecimento de direitos universais e universalizáveis.

A expansão das forças do modelo capitalista ultraliberal que, é sabido, tem transformando a soberania estatal e instaurado um processo global de "deslegalização" e "desjuridificação" destinado a enfraquecer o controle da lei e dos Estados pela força do mercado e, por outro lado, a ampliação do conjunto normativo e dos movimentos globais em favor dos direitos humanos, são os dois fenômenos que ocupam a atenção das teorias cosmopolitas de Benhabib e que a levaram a tentar esboçar uma teoria crítica da justiça global.

O grande desafio está em saber identificar quais fatores e quais processos contribuem para o desenvolvimento da democracia, da autonomia dos povos e culturas ou o seu contrário, o que tem contribuído para manter o estado de dependência, a perda da autonomia e também o agravamento das situações de vulnerabilidade. A normatividade cosmopolita, então, serve não apenas para estimular, mas, sobretudo, para respaldar as lutas globais por autonomia e resistência, quanto também pode expressar anseios de dominação

[151] Um nome muito representativo é ZOLO, Danilo. *COSMOPOLIS. La prospettiva del governo mondiale.* Milano: febbraio, 2008, p. 179-186.

econômica e técnica em nome dos interesses do capital internacional, como se vê na composição da *soft law*[152] que de natureza não obrigatória e não executável tem passado, na prática, a ser o contrário na relação direta com os interesses envolvidos. Então qual seria o papel da teoria crítica? Considerar os processos de integração nacional de maneira totalizante para compreender suas características hegemônicas e autoritárias quanto também seus potenciais democráticos e emancipatórios.

A fórmula das "iterações democráticas"[153] proposta por Seyla Benhabib seria a expressão da necessária convergência que deve existir entre as aspirações e normas cosmopolitas com os processos de deliberação nos contextos nacionais que serão os destinatários do resultado dos processos globais. Nesse sentido, não seria suficiente pensar-se em termos de distribuição tão somente. É necessário, segundo autora, agregar a ideia de justo pertencimento, condição para sustentar-se as lutas globais e as lutas locais. A cooperação e formas de solidariedade transnacional tornam-se os valores basilares para fundamentar o cosmopolitismo na sua forma emancipatória ou de resistência.

Na perspectiva cosmopolita, portanto, as iterações democráticas representam a profunda modificação experimentada pela comunidade global representada pela emergência de novos códigos comunicativos e novos atores dessas comunicações que se somam às conhecidas fórmulas nacionais e locais. Tais iterações têm lugar em comunidades de comunicação que se misturam e que, segundo Benhabib[154] são chamadas de «demotic community» por envolver todos os cidadãos formais e residentes de um sistema jurisdicional e outras comunidades de conversação mais fluída e menos estruturadas que focam nos direitos humanos internacionais e transnacionais, como as ONGs, os órgãos da ONU, os grupos militantes, entre tantos outros.

A autora, por certo, pertence ao grupo que identifica nos excessos da globalização a exacerbação da competição, a exploração

[152] Ela compõe o direito chamado de pós-moderno e nasce das concepções anglo-saxãs. DELMAS-MARTY, Mireille. *Les forces imaginantes du droit. Le relatif et l'universel.* Paris:Seuil, 2004, p. 181-182. Também em FRYDMAN, Benoit. *O fim do Estado de Direito.* Porto Alegre: Livraria do Advogado, 2016.

[153] BENHABIB, Seyla. *Another cosmopolitanism.* Oxford: Oxford Press, 2006, p. 50-57.

[154] BENHABIB, Seyla. Democratic exclusins and democratic iterations. Dilemmas of "Just Membership" and Prospects of Cosmopolitan Federalism. *European Journal os Political Theory.* Los Angeles/London/New Delhi/Singapore, 2007, p. 455. Disponível em: http://journals.sagepub.com/doi/abs/10.1177/1474885107080650.

da natureza, a fragilização das culturas locais, entre outros. As inúmeras interações normativas seguramente pressupõem um equilíbrio entre competição e cooperação cuja via é a da solidariedade que encontra respaldo em marcos normativos globais mais antigos, como no texto da Convenção da OIT – Organização Internacional do Trabalho –, no da Convenção de Filadélfia de 1944, no da Declaração universal de Direito Humanos e, mais recentemente no do Acordo de Paris sobre o Clima de 2015.

Todas essas construções teóricas inacabadas são colocadas à prova quando o tema é o reconhecimento do cosmopolitismo jurídico como uma nova disciplina no âmbito do sistema de direito que, se ainda não se encontra pronta e acabada, produz inúmeras consequências práticas no plano da existência.

Parte II

Cosmopolitismo jurídico: uma prática variável em consolidação

La societé ele-même vit dans le temps, et tous ses equilibres sont forcément précaires; il ne faut pas espérer que les conflits disparaissent, mais seulement qu´ils se réglent sans violence. Quant aux individus, ils ne peuvent commander à leurs desirs, encore moins à ceux des autres, or les désirs changent; poutant, les hommes rêvent d'absolut.

...

Ou bien accepter as condition, comme nous y incite Rousseau, sans espoir la consolation d'une survie par la communauté, par la descendance ou par les ouvres, ces substituts de l'immortalité? La vie commune ne garanti jamais, et dans le meilleur des cas, qu'um frêle bonheur.

(Tzvetan Todorov. *La vie commune. Essai d'anthropologie générale*. Paris: essais, 1995, p. 192)

Esta obra tem por objetivo contribuir com as teorias já existentes que defendem a existência do cosmopolitismo jurídico como um ramo novo do direito, diferente do direito nacional e do direito internacional.

Com o objetivo de ajudar nas respostas acerca dos delineamentos práticos do cosmopolitismo jurídico, optou-se por enfocá-lo a partir da ideia de dois projetos e de uma prática embasada, esta em quatro expressões. O primeiro projeto é o de ser o cosmopolitismo jurídico um projeto político possível para a existência humana que reivindica democracia, cooperação e orientação principiológica (Capítulo I). O segundo é antevisto como um projeto jurídico que enfrenta desafios, orienta-se por três dimensões e institui-se a partir da centralidade e da imperatividade do direito (Capítulo II). De projeto em construção a força das coisas transforma o cosmopolitismo jurídico em prática viabilizada por meios institucionais, por uma renovação da concepção de espaço público, pela existência de normas e de atores cosmopolitas (Capítulo III).

Capítulo I – Um projeto político possível para a existência humana?

O cosmopolitismo jurídico não abdica de sua natureza política na medida em que somente por uma construção artificial poderia ela ser ignorada ou, quiçá, desprezada. Os autores da teoria da democracia cosmopolita ao mesmo tempo em que a reconhecem como um processo, também não desconsideram os *deficits* que a fragilizam como a persistência do sistema beligerante entre os Estados no plano global. É evidente, assim, que a existência de democracia interna nos Estados não poderá conduzir, automaticamente, à pressuposição de existência da democracia mundial. Por isso, a cooperação eclode como o antídoto adequado a tais fragilidades (1.1). A mirada cosmopolita desenvolvida por Beck, embora limitada, ajuda a compreender a importância dos princípios para a construção e consolidação do cosmopolitismo jurídico (1.2)

1.1. Entre deficit democrático e cooperação solidária

O novo pacto humanitário que surgiu após a experiência totalitária do Século XX acelerou o declínio da soberania e a ascensão da mundialização do direito. Com esse espírito é que o cosmopolitismo é colocado como uma reflexão sobre a crise do Estado, mas também como uma alternativa possível para melhor enfrentar os desafios da mundialização. Daí a urgência em dar-lhe uma forma não apenas filosófica e política, mas também jurídica.

Com efeito, a emergência, para uns,[155] do reconhecimento de uma humanismo pré-originário baseado na responsabilidade[156] (a), quanto da construção de uma política global (b), sempre respeitando as identidades e as culturas sem a pretensão de criar um governo mundial quanto, para outros, de criação de um direito comum (c) para evitar que o mundo recaia numa desordem anárquica[157] e impotente, desperta sem dúvida o exercício da criatividade. Segura-

[155] HABERMAS, J. *A constelação pós-nacional.* São Paulo: Littera Mundi, 2001, p. 75-142.

[156] ZARKA, Yves Charles. *Refonder le cosmopolitisme.* Paris: Puf, 2014, p. 18-19.

[157] DELMAS-MARTY, Mireille. *Les forces imaginantes du droit (II). Le pluralisme ordonné*, op. cit. p. 9.

mente, imaginar técnicas jurídicas[158] novas é condição de possibilidade não só para reduzir a rigidez normativa, ainda muito atrelada ao nacional quanto para permitir e incitar a evolução de novas práticas.

Da ótica da sociologia política, então, uma "mirada cosmopolita",[159] cotidiana e reflexiva, sobre as relações ambivalentes de troca, sobre as contradições, como também no que diz respeito às mesclagens culturais e circulação de normas, fatores e processos, experimenta:[160] a) entender o mundo a partir da experiência de crise da sociedade mundial; b) do reconhecimento das diferenças da sociedade mundial; c) da empatia cosmopolita e da mudança de perspectivas; d) da impossibilidade de viver uma sociedade mundial sem fronteira, necessitando-se reconstruir as velhas concepções que as definem e; e) do princípio da interrelação entre culturas.

Do ponto de vista do direito, trata-se de indagar sobre a existência ou sobre a possibilidade de construir um quadro jurídico comum mundial sem recair no cosmopolitismo banal[161] da universalização das receitas culinárias ou da macdonaldização das instituições jurídicas, seja do ponto da filosofia, da sociologia ou do direito. Para obter-se a resposta, talvez o caminho possível seja tentar escapar, sobretudo, do lugar comum que identifica o global como oposto ao local, nacional ou interno. Nosso mundo é o dos híbridos, como refere Bruno Latour,[162] razão pela qual a separação moderna entre homem e natureza e a onipotência do primeiro em relação à segunda, vai ao encontro da total superação. Justamente por ser metapolítico é que o cosmopolitismo promove uma sorte de abertura que engaja todo o mundo vivente e em que a humanidade, e não o homem é o "sujeito superior ao povo e ao estado como sujeitos".[163] Daí extrai-se também a fundamentalidade da ideia de responsabilidade que, na visão de Alain Supiot,[164] deve ser tratada à luz do jurídico e, claro, deve ser considerada na perspectiva ampla do presente e do futuro.

---

158 Do ponto de vista do objeto deste trabalho tais técnicas serão tratadas a partir dos diálogos interjurisdicionais.

159 BECK, Ulrich. *La mirada cosmopolita o la guerra es la paz*, op. cit. p. 12.

160 Id., p. 17.

161 Id., p. 20.

162 LATOUR, Bruno. *Nous n'avos jamais été modernes. Essai d'anthropologie symétrique.*Paris: La Découverte, 1997, p. 7-10.

163 ZARKA, Yves Charles. *Refonder le cosmopolitisme*, op. cit., p. 5-7.

164 SUPIOT, Alain. *L'esprit de Philadelphie. La justice social face ao marché total.* Paris: Seuil, 2010.

Nesse diapasão, uma visão comprometida com a verdadeira compreensão do fenômeno da mundialização pressupõe sejam colocadas em questão as velhas categorias jurídicas construídas sob o influxo do "nacionalismo metodológico"[165] westfaliano. A perda de validade das diferenças entre os "incluídos" e os "*outsiders*",[166] entre o nacional e o internacional, como acentua Beck, embora seja inexorável é, ainda, um processo em construção. Beck não descura que a mirada cosmopolita deve levar em conta a permanente tensão entre a ausência e a presença de fronteiras, o que faz com que esse olhar seja, do ponto de vista da política global, ambivalente e reflexivo.

Com efeito, a partir de uma visão sociológica, é possível situar a diferença entre globalização e cosmopolitização.[167] Para Beck, esse é o ponto de partida, e não de chegada de suas reflexões. Assim, a globalização pode ser entendida como expressão da ideia de mercado global, como o *locus* plenipotenciário do neoliberalismo, cuja razão maior da existência é o movimento do capital financeiro, dos produtos e das pessoas para além das fronteiras, sem a limitação de obstáculos. A soma desses elementos constitui o desenho paradoxal, como refere Dany-Robert Dufour,[168] de uma espécie de "egoísmo gregário" que é a forma dominante do liame social das democracias de mercado da atualidade, incompatível com o espírito de solidariedade que deve ser a marca do cosmopolitismo.

De outro modo, é possível compreender a cosmopolitização como um processo multidimensional e irreversível relacionado à natureza histórica dos mundos sociais e que supõe o surgimento de lealdades múltiplas e de atores públicos e privados, de redes e movimentos globais contrários à globalização neoliberal e favoráveis a um outro tipo de "globalização", própria da segunda modernidade e que tenha como marco definidor de sua agenda os direitos humanos. Esta seria, então, a globalização "cosmopolita".[169]

Observa-se, entretanto, uma tendência à banalização do sentido dado à cosmopolitização. A reunião ao redor de uma mesa em

---

[165] ZARKA, Yves Charles. *Refonder le cosmopolitisme*, op. cit., p. 10.

[166] ELIAS, Norbert. Os *estabelecidos e os outsiders*. Rios de Janeiro: Zahar, 2000.

[167] BECK, Ulrich. *La mirada cosmopolita o la guerra es la paz* , op., cit. p. 19.

[168] DUFOUR, Dany-Robert. *L'individu qui vient après le liberalism*. Paris: Denoël, 2011, p. 12.

[169] Charle-Yves Zarka tece crítica à reflexão de Beck por considerar que esse pensa o cosmopolitismo apenas da perspectiva sociológica, excluindo suas origens. Por isso, diz que não é possível na obra de Beck identificar diferença entre o cosmopolitismo e a mundialização e tampouco entre os cidadãos do mundo e o global manager. In: *Refonder le cosmopolitisme*, op. cit., p. 15. Consideramos, entretanto, ser fundamental orientar o pensamento pela via da reflexão beckiana.

restaurante de comida típica de um país qualquer, pode evocar uma conduta cosmopolita habitual na vida cotidiana. Beck irá dizer que tais acontecimentos não passam de um "cosmopolitismo banal"[170] como acima referido, isto é, de uma espécie de proximidade sem relação com as possibilidades e os perigos internacionais, o que toma as feições de uma cosmopolitização derivada de um passivo incontrolável, então, de um "cosmopolitismo deformado" e convertido numa mercadoria porque ligado a todas as formas de consumo[171] que desconsidera, amiúde, a política e o direito.

Como então deverá ser entendida a "mirada cosmopolita" posta por Beck? Certo é que o cosmopolitismo, para esse autor, não significa a superação nem a substituição do nacionalismo, mas sim que em um mundo de crises e riscos globais, as repetidas diferenças entre o "interno e o externo", o "nacional e o internacional" restam opacas ante a urgência de entender-se o mundo a partir de um "novo realismo", que considera o *global turns* nada mais do que uma forma madura e responsável de criar condições de possibilidade de sobrevivência no planeta Terra.

Nesse sentido, o *global turns* é visto por Xifaras como a Metrópolis jurídica planetária[172] que não provoca o desaparecimento dos Estados, mas, ao contrário, faz deles atores necessários que convivem e devem interagir com outras "entidades" estatais ou não. Se há uma condenação da estrutura conceitual dominante no mundo anterior ao "pós", tempo do famoso "*duo wetsphalien*" o direito global não é ainda um direito universal e independente, mas é sim reflexo das interações de vários níveis.[173]

Em verdade, Beck preocupa-se, sobretudo, com que o cosmopolitismo seja reflexivo no sentido de pensar sobre suas próprias possibilidades para que seja duravelmente efetivo. O desafio que se põe é justamente o de pensar-se em que medida à cosmopolitização – enquanto um processo – pode ser consciente da realidade.[174] Nesse sentido, parece ser possível afirmar que a mescla entre culturas e fronteiras não se coloca como uma novidade, senão como algo que acompanha a história universal de modo que as reivindicações por

---

[170] BECK, Ulrich. *La mirada cosmopolita o la guerra es la paz*, op. cit., p. 20.

[171] Ibid., p. 33-34 e 61-62.

[172] A expressão é de XIFARAS, M. *Aprés les Théories Générales de l'État*: Le droit global, op. cit., p. 15.

[173] *La mirada cosmopolita o la guerra es la paz*, op: cit., p. 16.

[174] Id., p. 97.

espaços e mundos separados advindos do nacionalismo territorial, se não são irreais, contam apenas parte desta longa história.

Aqui, a concepção weberiana[175] de ação social adquire vitalidade e dinamiza o pensamento. É justamente por isso que uma mirada cosmopolita que se centre apenas no espaço e que abdique do tempo, constrói apenas um cosmopolitismo plano e, por isso, a-histórico do ponto de vista global. A consideração da dimensão temporal, por outro lado, leva em conta a cosmopolitização do direito, da história, da política e da sociedade, razão por que se eleva como cosmopolitismo real profundo de difícil implementação política e jurídica e enormemente fragilizado pela crítica vinda, sobretudo, dos teóricos do realismo.

Tal é a dificuldade substancial para concretizar esse projeto que, no campo da filosofia política, Habermas,[176] menos otimista e mais cauteloso ainda que não esteja no grupo dos realistas, considera o cosmopolitismo uma concepção um tanto quanto "solta" porque, ao menos por enquanto, ainda ignora como conformar um poder político efetivo para além do Estado-Nação. Daí ser possível compreender sua preferência em identificar que o processo de ampliação da democracia para além das fronteiras nacionais associa-se mais à chamada "constitucionalização do direito internacional". Essa pode ser compreendida como a ultrapassagem dos poderes nacionais pelo crescimento exponencial das redes de organizações internacionais. A cooperação internacional interestatal, segundo Habermas,[177] seria um caminho produtivo para a retomada da democracia numa dimensão extraestatal. Comunidades supranacionais poderiam ser atores interessantes para o exercício dessa cooperação, pois, mesmo que diferentes dos Estados, deveriam obedecer a critérios objetivos de legitimação, sem se confundir com esses últimos, como é o caso da União Europeia.[178]

---

[175] A ideia de ação social está centrada nos comportamentos dotados de intencionalidade (consciência de outrem), característica que lhes é dada pelos valores próprios de cada um, sem desconsiderar seu pertencimento a grupos. Assim, é preciso entender em que medida o comportamento dos atores é ditado por valores diferentes em dado tempo. WEBER, Max. *A ética protestante e o espírito do capitalismo*. Lisboa: Editorial Presença, 2005.

[176] HABERMAS, J. *Plea for a constitutionalization of international law*. Conferência apresentada em Atenas em 10 de Agosto de 2013.Disponível em: www.wcp2013.gr/files/items/6/649/habermas.pdf.

[177] HABERMAS, J. Mais que veut dire une "Europe forte"? In: *Esprit*, nº 4, mai. 2014, p. 80.

[178] Acusada nos dias atuais de ser antidemocrática e não respeitar os direitos humanos em razão dos problemas complexos que envolvem a Grécia. Veja-se: SALDANHA, Jânia Maria Lopes. *O "oxi" grego*: Da soberania solitária à soberania solidária. Disponível em: http://justificando.com/2015/07/06/o-oxi-grego-da-soberania-solitaria-a-soberania-solidaria/.

Mas todo esse fenômeno se conforma num horizonte de dupla face. De um lado, há uma mutação na forma da lei, seja quanto à sua fonte, hoje não mais somente de origem nacional, como se percebe na experiência da União Europeia com uma ainda frágil transformação na força de coerção que se constitui ainda no expressivo *deficit* tanto da ordem comunitária quanto da ordem internacional. Por outro lado, há uma mudança na substância do poder do Estado que do modelo de salvaguarda e de justificação a si mesmo de seus próprios atos é privado dessa base de poder construída ao longo do tempo para dar lugar a ações políticas conjuntas que os conduzem a cooperar uns com os outros.

Esse quadro não impede, antes tem reforçado, o problema do *deficit* democrático, o que parece ser o nó górdio do cosmopolitismo. Mas por que *deficit* democrático? Porque se há de ser reconhecida uma evolução, ainda que lenta, das funções organizacionais que estão sendo alcançadas em nível global por meio da cooperação dos Estados entre si, o que evidencia uma racionalização do poder político e a "constitucionalização do direito internacional", a participação das organizações internacionais e dos indivíduos ainda é tímida. Quanto às primeiras porque só podem participar se tomarem a forma de lei, e sua participação é limitada a áreas muito específicas em contraste com os órgãos nacionais que têm competência em amplos domínios da política. Quanto aos segundos porque há uma assimetria entre a autorização limitada aos representantes nacionais e as decisões tomadas em concerto nas inúmeras "cúpulas" que acontecem ao redor do mundo.

Entretanto, é preciso reconhecer que a ampla participação de atores da sociedade civil na Conferência Internacional do Clima, a COP 21, ocorrida em Paris em 2015, comprovou que a timidez referida está cedendo passo à cooperação que resulta de novas formas de mobilizações da sociedade por todo o mundo.[179]

Mesmo assim, há que se ter o cuidado de não repetir, sem crítica e critério, que a governança estaria tudo a fazer pelo cosmopolitismo, pois ela envolve uma forte dose de antidemocracia na institucionalização das relações globais e regimes tecnocráticos que, segundo Habermas,[180] continuarão a proliferar sob esse título. Por isso, para ele, "a transnacionalização da democracia está atrasada"

---

179 DELMAS-MARTY, Mireille. *Aux quatre vents du monde. Petit guide de navigation sur l'océan de la mondialisation*. Paris: Seuil, 2016, p. 55-56.

180 HABERMAS, J. *Mais que veut dire une "Europe forte"?*, op. cit.

porque ainda não existe no sistema transnacional uma combinação entre "Estado", "pessoas" e "comunidade".

Assim, a tecnocracia que, na visão de Max Weber,[181] não se tratava apenas do saber técnico aplicado à burocracia de modo a permitir o aumento do controle do homem sobre o mundo, mas que, também, se constituía como controle sobre o próprio homem, não é apenas um fantasma que assusta a construção de uma desejável ordem cosmopolita. Ela é uma realidade em curso como se vê hoje nas políticas europeias que envolvem os Estados-Membros sem ouvir as populações, avançando para o que Habermas denomina de "democracias consolidadas".[182]

A insuficiência da compreensão tão somente sociológica é, então, perfeitamente visível. A filosofia, que relaciona o cosmopolitismo ao humanismo pré-originário, ou seja, que reconhece uma dimensão humana mais fundamental, preexistente a qualquer vontade e à liberdade, se de um lado demarca o princípio da responsabilidade para com o outro é, ainda, insuficiente. Daí a necessidade de construção de um quadro jurídico,[183] como referido anteriormente.

Como se vê, o rol de críticas é imenso. Além dos anteriores, um dos mais contundentes é o de que o cosmopolitismo envolve um imperialismo moral que, amiúde, está escondido, por exemplo, no discurso da responsabilidade de proteger. Mas parece ser possível escapar desse maniqueísmo ou dessa visão associada à existência de um comando global hegemônico que existiria com a cumplicidade de certos Estados, do capitalismo global e de algumas instituições internacionais como o Conselho de Segurança da ONU.[184] Abdicando de toda percepção *naïff*, o exercício da visão em paralaxe,[185] cujo ponto de partida é mudar o ângulo a partir do qual observamos o objeto, permite que levemos a sério as interações profundas entre o cosmopolitismo jurídico e o constitucionalismo e a difusão em escala global das normas de direitos humanos.

De fato, a linguagem dos direitos humanos a partir da aplicação concreta dos marcos normativos nacionais e internacionais conduz seguramente ao empoderamento das democracias, pela alavancagem da participação da sociedade civil. Assim, a dignidade

---

[181] WEBER, Max. *A ética protestante e o espírito do capitalismo*. Lisboa: Editorial Presença, 2005, p. 13.

[182] HABERMAS, J. *Plea for a constitutionalization of international law*, op. cit.

[183] ZARKA, Y-C. *Refonder le cosmopolitisme*, op. cit. p. 18.

[184] BENHABIB, Seyla. *Cosmopolitanism and democracy Affinities and tensions*, p. 38.

[185] ZIZEK, Slavoj. *A visão em paralaxe*. São Paulo: Boitempo, 2008.

dos direitos humanos não decorre apenas das iterações democráticas, sob a forma de diálogos e de trocas no âmbito das relações daqueles que vivem sob um mesmo sistema jurisdicional mas decorrem, significativamente, de trocas mais difusas e informais que podem envolver as organizações de direitos humanos internacionais e transnacionais ao redor do mundo. Seyla Benhabib está inteiramente correta ao dizer que os "soberanistas democráticos"[186] ignoram que as normas internacionais de direitos humanos podem empoderar os cidadãos nas democracias por criarem novos vocabulários e por abrirem novos canais de mobilização para a sociedade civil para resistir à hegemonia, o que gera processos próprios de articulação e de interação além-fronteiras nacionais.

Então, nesse contexto altamente competitivo e de crise generalizada, assume fundamental importância, para reduzir o *deficit* democrático, o papel da solidariedade. Para escapar da já gasta acusação de moralismo ou de naturalização, há de ser visto que ela não é um conceito moral, mas assume um papel profundamente político que não depende de altruísmo moral, mas sim de uma atitude ética que depende de uma condição de reciprocidade previsível que tem base na confiança.

Mais uma vez, a razão parece estar com Habermas, ao afirmar que a conduta com base na solidariedade pressupõe contextos de vida políticos organizados, construídos, e não resultado da evolução orgânica. Por tal razão, a solidariedade é sempre política. Textos normativos internacionais deram a ela um significativo conteúdo jurídico. No direito comunitário europeu, a Carta europeia de direitos fundamentais do ano 2000[187] a elevou à condição de um princípio jurídico porque a sociedade humana para existir necessita não apenas de competição, quanto também de cooperação. Do ponto de vista jurídico há, sem dúvida uma transformação no sentido liberal de solidariedade. A "dívida de vida",[188] noção hoje associada à de solidariedade, é o resultado da influência antropológica sobre os conceitos jurídicos e representa a preocupação com as gerações futuras e com a dimensão coletiva da vida em sociedade.

---

[186] BENHABIB, Seyla. *Claiming rights across Borders: International human rigths and democratic sovereignth*, op. cit., p. 695.

[187] No capítulo IV, arts. 27 a 38, ela refere-se a direitos individuais, aos direitos sociais e também a novos direitos, como o direito à informação dos trabalhadores, o direito de negociação, o direito de ação coletiva e o direito de acesso aos serviços públicos. Disponível em: http://europa.eu/legislation_summaries/justice_freedom_security/combating_discrimination/l33501_fr.htm.

[188] SUPIOT, Alain. *L'esprit de Philadelphie. La justice social face ao marché total*, op. cit., p. 161.

Marcados por uma existência que não acontece senão na relação aos seus semelhantes – a própria essência do "ubuntu" – os povos africanos na Carta africana de direitos humanos e dos povos fizeram declaração contundente em favor da solidariedade que, além de ser um direito, é também um dever.[189] As Constituições de inúmeros Estados também a preveem em seus textos. É por isso que se pode afirmar a existência de um bloco de convencionalidade e de constitucionalidade que situa a solidariedade como um princípio jurídico das democracias contemporâneas, interdita sua aplicação restrita ao espaço nacional e reafirma a importância dos "círculos de solidariedade" de que tratou Alain Supiot[190] para a construção do cosmopolitismo. Essa percepção está diretamente associada à concepção hoje renovada de soberania estatal que de solitária passa a ser uma soberania solidária, como será visto no capítulo final.

De fato, o comércio, a sociedade civil e os Estados são três importantes elementos da mundialização que, ao que se sabe, apresentam, amiúde, contradições recíprocas. O cosmopolitismo permite pensar as relações complexas derivadas desses elementos contraditórios, quanto também que sejam tracejadas novas relações jurídicas? Sem dúvida. A intrincada rede de relações que se produz no campo da internet pode ser dada como exemplo privilegiado dessas relações sem precedentes na história da humanidade e para as quais o direito de cariz nacional/estatalista não consegue dar todas as respostas.

1.2. *"Uma mirada cosmopolita" com base em princípios: percepções plurais com objetivos comuns*

Nesse sentido até aqui apresentado, a multiplicação das fontes de criação do Direito, a fragilização da soberania e a erosão da representação unitária da vontade dos Estados são expressões do mundo contemporâneo que provocam, entre outros efeitos, a inter-relação entre vários sistemas normativos, o acentuado aumento de complexidade das razões jurídicas, a diversificação dos critérios de validade e a hibridação dos saberes jurídicos. Coerente com tais

[189] Carta africana de direitos do homem e dos povos, art. 29, 4. Disponível em: http://www.achpr.org/fr/instruments/achpr/. Também em: LAZCANO, Alfonso Jaime; CUCARELLA, Luis; SALDANHA, Jânia M. L. *Sistemas regionais de proteção de direitos humanos*. Europa, Latinoamérica, África. Primeira Instância: México, 2014, p. 183-239.

[190] SUPIOT, Alain. *L'esprit de Philadelphie. La justice social face au marché total*. Paris: Seuil, 2010, p. 159-173.

afirmações, a análise sociológica de Beck diz ser o cosmopolitismo confrontado com o patriotismo.

Ora, partindo da premissa de que é a realidade do mundo que se constitui como cosmopolita, Beck[191] sustentou que atualmente não se discute mais se o patriotismo é demasiado pequeno, porém praticável e, o cosmopolitismo, *au contraire*, magnânimo, porém frio e difícil de implementar. Como se pode perceber, da análise do mosaico global das relações econômicas, jurídicas e políticas, antevê-se ter o cosmopolitismo deixado de ser uma simples ideia da razão e do mundo filosófico, para constituir-se numa pura e inexorável realidade.

Tal realidade conduz, inevitavelmente, a que se modifique o modo de compreender o mundo contemporâneo. Trata-se, com efeito, do exercício da "mirada cosmopolita", mínima exigência para que se entenda a realidade jurídico-social e política do século em curso a partir da "reestruturação"[192] conceitual das tradicionais percepções sobre o Estado e sobre as formas de produção e de aplicação do direito.

Para tanto, Beck afirma que a "primeira modernidade", compreendida como aquela centrada nas sociedades individuais nacionais ordenadas, deve ceder lugar à "segunda modernidade", desenhada por formas de vida "transnacionais".[193] Os "nacionalismos introvertidos",[194] próprios da primeira modernidade, somente em aparência não seriam ofensivos porquanto o que fazem, em verdade, é proteger-se e blindar-se contra o global, expressando um fechamento intolerante que dá vazão às mais diversas formas de violência, cuja versão muito contemporânea pode ser avistada nas recentes políticas estatais europeias anti-imigração dos últimos anos.

Uma maneira de inverter essa lógica da primeira modernidade, estima Beck, é praticar a "empatia cosmopolita ou compaixão cosmopolita",[195] fazendo com que a humanidade experimente o desejo concreto de agir ante as mais variadas e sérias injustiças e violências contra os direitos humanos.[196]

---

[191]4 BECK, Ulrich. *La mirada cosmopolita o la guerra es la paz.* Barcelona: Paidós, 2004, p. 10.

[192] Id., p. 10.

[193] Id., p. 16.

[194] Id., p. 12.

[195] Id., p. 15.

[196] O poder da arte pode, ao mesmo tempo, aliviar as dores como também mostrar as feridas, sobretudo ao descrever o real. No filme Hotel Ruanda é possível perceber a lógica da primeira modernidade quando o ocidente enviou aviões, para salvar "apenas seus cidadãos" da tragédia em que se constituiu a guerra entre tutsis e hutus. Lamentáveis limites econômicos e políticos à defesa dos direitos da humanidade que, compreendidos apenas como direitos humanos,

Os movimentos das organizações internacionais humanitárias, somados aos das redes sociais que colorem o espaço virtual deste início de Século, representam essa empatia global que se choca com o nacionalismo metodológico e excludente, como se pode ver em vários episódios recentes da história.

Mas Beck insiste:[197] a empatia cosmopolita não substitui a empatia nacional, uma complementa a outra.

A mirada cosmopolita defendida por Beck estaria fundada em cinco expressões:[198]

EXPRESSÕES	EXPLICAÇÃO
Experiência de crise da sociedade mundial	Interdependência a partir dos riscos e crises globais em face do mesmo destino civilizatório
Reconhecimento das diferenças da sociedade mundial	Preocupação com a alteridade
Empatia cosmopolita e da mudança de perspectiva	Intercambialidade com relação ao sucesso e às ameaças
Impossibilidade de viver em uma sociedade mundial sem fronteiras	Preocupação em traçar e fixar novas e velhas fronteiras
Mistura entre culturas e tradições locais, nacionais, étnicas, religiosas e cosmopolitas	Cosmopolitismo sem provincialismo é vazio e esse sem o cosmopolitismo é cego.

Tabela 1 – Produzido pela autora.

A pergunta fundamental posta por Beck é: "o que faz com que um espaço de experiências ou um horizonte de expectativas possa ser qualificado de 'cosmopolita' por oposição a um espaço nacional?".[199] A resposta é encontrada numa fina percepção, ou seja, de que a "constelação cosmopolita", termo por ele apresentado, é um espaço de experiências e horizonte de expectativas que descreve a "outridade" dos outros interiorizada, bem como as contradições

estão circunscritos apenas aos "cidadãos". Ou seja, antes de ser homem, é preciso ser cidadão"! GEORG, Terry. Hotel Ruanda. Filme. Reino Unido/África do Sul/Itália, 2004.Tramita na justiça francesa processo contra Pascal Simbikwanga, acusado de praticar crimes contra a humanidade durante o genocídio de Ruanda. Disponível em: https://www.fidh.org/La-Federation-internationale-des-ligues-des-droits-de-l-homme/afrique/rwanda/16686-rwanda-la-fidh-et-la-ldh-publient-un-rapport-d-analyse-sur-le-proces-de.

[197] Op. cit. p. 16.

[198] Id., p. 17.

[199] BECK, Ulrich. *La mirada cosmopolita o la guerra es la paz*, op. cit., p. 125.

que um espaço de experiências individuais e sociais, amiúde, pode envolver. O cosmopolitismo apresenta-se, assim, como alteridade.

Todavia, enquanto no plano das relações internacionais predominar a retórica dos direitos humanos – em que sua efetividade seja algo distante, e a alteridade uma palavra apenas formal que ignora a história –, nenhum argumento moral que vise a protegê-los poderá evitar o esfacelamento do mapa geopolítico em inúmeros Estados que, voltados para si mesmos, têm produzido, cada vez mais, conflitos e miséria. Tal cenário fomenta, como refere Costas Douzinas,[200] um prolongamento natural da lógica agressiva dos direitos e uma "distância da paz cosmopolita a que Kant esperava que os direitos levassem".

Sem descurar do olhar crítico, que jamais abandonou, o caminho do cosmopolitismo tracejado por Beck não separa o nacional do global, antes, reivindica um lugar para a "imaginação dialógica"[201] porque reconhece estar o global localizado no nacional e esse no global, ambos a formar um conjunto de entidades que não se excluem mutuamente. Sendo o "foco nacional" apenas um "dentre tantos", ao qual se deve somar aquele ligado às "interdependências e correntes transnacionais", sem qualquer pretensão de exaustão, Beck[202] referencia treze indicadores qualitativos de cosmopolitização na condição de um fenômeno político-social dinâmico e em constante movimento e que interessam à presente análise:

INDICADOR	EXPLICAÇÃO
Bens culturais	Importação e exportação de bens culturais de uma maneira geral
Dupla nacionalidade	Base jurídica para os imigrantes e para os solicitadores de asilo
Intensidades políticas	Representação nas instâncias políticas dos variados grupos internos
Língua	O que se fala e quantas línguas são faladas
Mobilidade	Movimento migratório permanente nas suas mais variadas feições contemporâneas

200 DOUZINAS, Costas. *O fim dos direitos humanos*. São Leopoldo: Unisinos, 2009, p. 249.

201 BECK, Ulrich. *La mirada cosmopolita o la guerra es la paz*, op. cit., p. 125.

202 BECK, Ulrich. *O que é a globalização? Equívocos do globalismo, respostas à globalização*. São Paulo: Paz e Terra, 1999.

Correntes de comunicação	Intercâmbios de comunicação, circulação de dados e internet
Viagens	Desenvolvimento do turismo e dos meios de transportes internacionais
Organizações transnacionais	Atuação em escala internacional nos mais variados âmbitos
Criminalidade	Desenvolvimento da criminalidade internacional
Formas de vida transnacionais	Relações permanentes para além-fronteiras
Corresponsabilidades transnacionais	Em face das repercussões globais de determinados fatos humanos e da natureza
Identidades nacionais	Com relação a uma possível identidade cidadã cosmopolita
Crises ecológicas	Criação de leis ambientais e jurisdição sobre meio ambiente

Tabela 2 – Produzido pela autora.

Tais indicadores demonstram, com relativa clareza, que o cosmopolitismo se apresenta como um processo desigual e que varia segundo o país, sua dimensão, seu grau maior ou menor de abertura, etc. Por isso mesmo, o rol de indicadores de cosmopolitização encontra-se em aberto e disponível a ajustes que permitam melhor compreendê-lo.

Com efeito, podemos entender bem todas as dificuldades para sairmos do plano teórico, do mundo das expectativas, para vivermos a experiência do cosmopolitismo que seja orientado por um quadro de princípios e consista numa prática que decorra da existência de instituições globais e da cooperação entre estas e as nacionais do que são exemplos as instituições que formam os sistemas de justiça.

Será, então, importante compreender um possível conjunto de princípios que oriente o cosmopolitismo a partir daqueles que já iluminam os sistemas dos Estados-Nação e que estão significativamente previstos nas Constituições, mas agora adaptados às exigências mais amplas das relações mundializadas, como o princípio democrático, a solidariedade, a dignidade da pessoa humana, o pluralismo e a cooperação entre os povos para o progresso da humanidade.

De fato, os princípios jogam um papel fundamental para a consolidação dos sistemas jurídicos, mas nada mais falso do que pensar que eles podem resultar das escolhas unilaterais e momentâneas dos intérpretes. Bom exemplo, hoje, é o elevado significado de sua aplicação não apenas para a concretização quanto para o efetivo respeito das ordens constitucionais e convencionais. No fundo, trata-se de reconhecer o que está, de fato e de direito, à base das democracias contemporâneas como resultado do trabalho da ampla sociedade de intérpretes do direito e, em que medida, tal quadro designa possibilidade de ser utilizado como farol para o plano mundializado.

Nesse sentido, a obra de Louis Lourme[203], aqui já referenciada, nos indica um interessante quadro principiológico relativo ao cosmopolitismo: a) igual dignidade; b) individualização; c) participação; d) subsidiariedade e substituição; e) diversidade; f) obrigação.

Pode-se ousar dizer, do ponto de vista do cosmopolitismo jurídico – que é, de todo modo, indissociável do cosmopolitismo moral e político – ganhar o princípio da igual dignidade uma amplitude maior do que a que deriva das interpretações tanto das Constituições dos Estados nacionais quanto das Convenções, como a Declaração Universal dos Direitos do Homem e as Convenções regionais como a europeia, a americana e a africana. Tal amplitude é não só necessária quanto marcadamente irrenunciável porque nossos deveres não são pensados apenas em relação aos que nos estão próximos, mas sim com relação ao mundo todo, por razões de humanidade. Essa è a robusta aproximação do cosmopolitismo com as cosmopolíticas.

No plano moral, esse princípio desdobra-se como individualização. Significa dizer que é aos seres humanos que se refere a moral, e não aos Estados. Esse princípio moral tem implicações políticas na medida em que, tradicionalmente, há tensão entre o direito dos indivíduos e o dos Estados na perspectiva da soberania. A questão não é singela na medida em que ao direito dos indivíduos se opõe o interesse da comunidade global. Assim, é importante privilegiar o interesse dos indivíduos ou da comunidade humana? Esse é o debate que se encontra francamente aberto.

E no plano político ele apresenta-se como participação. A participação é um princípio eminentemente político, pois, é por meio dela que se pretende atribuir poder decisório aos que são destinatários das decisões políticas, ou seja, aquele que é atingido por uma

---

[203] LOURME, Louis. *Qu'est-ce que le cosmopolitisme?*, op. cit. p. 22.

decisão deverá minimamente contribuir na sua elaboração. O referendo grego do ano de 2015, por meio do qual o povo disse "não" às medidas de austeridade da União Europeia em relação à Grécia, é um expressivo exemplo dessa participação.

Se o reconhecimento de uma identidade regional ou, até, mundial ainda detém índices inferiores ao reconhecimento das identidades locais, não há dúvida de que é um sentimento que tem conhecido crescimento. Há, de fato, um reconhecimento de pertencimento ao planeta, seja pelo surgimento significativo de ONGs, de movimentos globais e de uma esfera pública internacional.[204] Desse modo, a necessidade de viabilizar a participação das associações políticas que reúnem várias populações é a resposta a esse sentimento crescente de pertencimento a uma comunidade planetária, não apenas uma necessidade pragmática.

É verdade que, em nível global, em domínios específicos, como o do meio ambiente, das migrações, dos fluxos financeiros, da saúde,[205] do acesso ao trabalho enfim, dos direitos humanos, há uma participação crescente das ONGs. De igual maneira também existem iniciativas e campanhas em favor de uma grande responsabilidade e democratização, não apenas na esfera pública, mas também na esfera privada, iniciativas essas que visam a democratizar o espaço mundializado e que correspondem a uma aproximação pragmática.[206]

O princípio da participação atribui maior legitimidade ao uso da expressão "democracia cosmopolítica", como refere Daniele Archibugi,[207] segundo o qual campanhas transnacionais influenciaram muitas decisões políticas no campo do meio ambiente, dos medicamentos para permitir sua difusão gratuita, das intervenções militares, para liberar o casamento entre pessoas do mesmo sexo, etc.

---

[204] ARCHIBUGI, Daniele. *La démocratie cosmopolite et ses critiques: une analyse. Raison publique*, nº 8, abril 2010, p. 111-150. Disponível em: http://raison-publique.fr/article279.html. Acesso em 2.04. 2017. A participação é apenas uma das sete teses que esse autor defende para a democracia cosmopolita. As outras são: a) democracia mais como processo e menos como conjunto de normas; b) a hostilidade entre os Estados entrava a democracia no âmbito desses Estados; c) a democracia no âmbito dos Estados favorece a paz, mas não garante uma política estrangeira virtuosa; d) a democracia mundial não se limita à realização da democracia no seio de cada Estado; e) a mundialização acarreta a perda de sentido da autonomia política dos Estados, o que reduz sua eficácia democrática; f) o número crescente de questões específicas da mundialização não coincide necessariamente com as fronteiras territoriais dos Estados.

[205] Sobre o tema da saúde global consulte-se: VENTURA, Deisy. *Direito e saúde global*. São Paulo: Outras Expressões/Dobra Editorial, 2013. Nos permitimos citar também: MARTIN-CHENUT, Kathia. SALDANHA, Jânia. O caso do amianto. Os limites das soluções locais para um problema de saúde global. *Lua Nova*, n. 98. São Paulo, 2016, p. 141-170.

[206] Id., p. 14.

[207] Id., p. 19.

O princípio da participação implica, assim, numa participação larga dos atores nos processos decisórios das questões globais.

A subsidiariedade e substituição consistem em limites ao exercício do poder na medida em que há inúmeros níveis com competência decisória. De fato, é necessário respeitar essas diferentes instâncias. As decisões, então, ao nível da subsidiariedade, devem ser tomadas pelas instâncias mais inferiores e, ao nível da substituição, a jurisdição superior será chamada a atuar quando a inferior não agir ou, se agir, não der as respostas suficientes.

O princípio da diversidade desafia a convivência com o da igual dignidade que, em princípio, pode ser entendido com aquele que justificaria um igualitarismo que rejeita as particularidades. É justamente o reconhecimento da dignidade moral que garante o respeito à diversidade e, por consequência, o respeito ao desenvolvimento das capacidades humanas fundamentais. Alinhada ao princípio da diversidade, a teoria que versa sobre as capacidades humanas afina-se com o ideal cosmopolita na medida em que propugna pela realização da justiça social em todos os países do mundo. Há aqui um componente prático, não apenas abstrato, por meio do qual a igualdade é pensada em termos de igual dignidade.

Finalmente, pelo princípio da obrigação, resta claro o compromisso do cosmopolitismo em respeitar as diferenças. No entanto, embora não se possa esquecer que o "puritanismo cultural" é um "oxymoro",[208] trata-se mesmo do desafio de articular o pertencimento ao mundo e à humanidade com os fortes vínculos com o local, traduzido no "cosmopolitismo adjetivado" por Kwame Appiah.[209] Nesse jogo de diferenças e de busca para harmonizar o comum, a centralidade e a imperatividade do direito desempenham um papel fundamental na constituição do cosmopolitismo jurídico.

Capítulo II – Um projeto jurídico: a centralidade e imperatividade do direito

No primeiro artigo definitivo da obra *À Paz Perpétua* Kant afirmou a necessidade de os Estados dotarem-se de uma Constituição. O direito é chamado a jogar um papel determinante no desenho do

[208] APPIAH, A. K. *Cosmopolitanism. Ethics in a world of strangers*. New York/London: W. W. Norton & Company, 2006, p. 113.

[209] APPIAH, Kwame Anthony. Cosmopolitan Patriots. In: NUSSBAUM, Martha. COHEN, Joshua (Dir.). *For love of Country?* Boston, Beacon Press, 1996, p. 21-29.

cosmopolitismo. Esse papel é visto como a via possível para integrar a regra ética na norma jurídica e como fim quando afirma os direitos humanos como pertencentes a todos os indivíduos, independentemente da vinculação destes a qualquer território.

Entretanto, dadas as dificuldades – senão a impossibilidade – de criação de uma federação ou uma república mundial, antevistas e projetadas por Kant, melhor será procurar no caráter democrático do exercício do poder o pressuposto para atenuar as violações dos direitos humanos em escala global.[210] Essa é a ideia básica defendida pelos teóricos da democracia cosmopolita, ou seja, globalizar a democracia e democratizar a globalização, ideal esse que, como se sabe, está longe de ser realizado. O desafio maior é transferir[211] e concretizar para o plano mundial os valores que ao longo do tempo serviram para consolidar as democracias como a igualdade perante a lei, o princípio da maioria, a obrigação do governo de atuar no interesse de todos, a transitoriedade das maiorias e a deliberação como resultado do enfrentamento público entre diversas posições.

Assim, diante do cenário mundial quase insuportável de violências, de depredação da natureza, de proliferação de guerras, de surgimento de novas fronteiras e novos muros, de guerras biotecnológicas, nós ainda temos o sentimento de que para enfrentá-los o direito e a justiça são alternativas factíveis.

A pergunta então é: de que servem o direito e a justiça, não apenas concebidos no plano da dogmática do direito internacional mas, antes e sobretudo, em âmbito universal, invocáveis pelos indivíduos e grupos, e não apenas pelos Estados, para garantir que a dignidade humana e o princípio de humanidade, previstos nos textos internacionais, deixem de ser garantias de papel.

Assim, construir bases teóricas e práticas para o cosmopolitismo jurídico envolve considerar três desafios e sedimentar três dimensões (2.1.), quanto reconhecer a centralidade do direito e sua imperatividade (2.2).

---

[210] DUPUY, Pierre-Marie. Actualitá du cosmpopolitisme jurisdique: revenir à Kant pour mieux le dépasser? *In:* FROUVILLE, Olivier de. *Cosmopolitisme juridique.* Paris: Pedone, 2015, p. 431-449.

[211] ARCHIBUGI, Daniele. La democracia cosmopolita: una respuesta a las criticas. *Serie teoria.* Madri: Edita Centro de Investigación para la Paz, 2005, p. 11. Disponível: http://ibdigital.uib.es/greenstone/collect/cd2/index/assoc/cip0010.dir/cip0010.pdf.

2.1. Três desafios e três dimensões

2.1.1. Os três desafios

O cosmopolitismo jurídico pode ser concebido como a elaboração jurídica do princípio da igualdade, visando a permitir que esse expresse todas as suas virtualidades. Martha Nussbaum nos leva a pensar que tal permissão pressupõe o desenvolvimento e a prática da educação cosmopolita[212] com o fim de desenvolver uma espécie de simpatia não apenas dirigida aos nacionais, mas também a qualquer outro membro da espécie humana, cujo fundamento maior é o amor pela humanidade. As críticas a esse pensamento são conhecidas e podem ser derivadas de três desafios.

O primeiro está ligado à promessa de compaixão a todos em um mundo em que são preservadas enormes diferenças. Se como afirmam os críticos de Nussbaun, o sentimento cosmopolita é inacessível ao comum dos mortais e que, como afirma David Miller,[213] seria ilusório, porque o sentimento de pertencimento ao nacional, favorável à distribuição de bens, dificilmente pode ser estendido em relação ao mundo. Considere-se que o próprio conceito de humanidade é ainda variável. A ideia de que todos os povos do mundo formam uma humanidade não corresponde, inteiramente, à ideia de gênero humano como as obras de Claude Levi-Strauss[214] nos fazem lembrar. Além disso, mesmo após o Tratado de Roma de 1998, que tipifica o crime contra a humanidade, talvez ainda possamos considerá-la como um conceito fluido que fortalece as teses críticas do universalismo jurídico.

De fato, a "humanidade" faz parte da imensa variedade de conceitos jurídicos com vocação universal os quais não se sabe muito bem onde inseri-los, ou seja, se no direito internacional interestatal, nascido do *jus gentium* ou, se no direito universal, de natureza supraestatal, de origem kantiana. Por isso, a incompletude das ideias e dos conceitos resta por ser a própria fraqueza do universalismo jurídico. Mesmo que a humanidade se inscreva no imaginário das

---

212 NUSSBAUM, Martha. *Patriotismo y cosmopolitismo,* 1994, p. 3.a Disponível em: http://www.fesamericacentral.org/files/fes-america-central/actividades/costa_rica/Actividades_cr/160806_Modulo4_AdC/Patriotismo%20y%20cosmopolitismo.pdf, p. 3.

213 MILLER, David. *Justice for earthlings. Essays in political philosophy.* Edinburgh: Cambridge, 2013. O conjunto da obra de Miller o insere no grupo dos críticos ao cosmopolitismo, para quem a justiça social só encontra condições de possibilidade de efetiva existência nas comunidades nacionais.

214 LEVI-STRAUS, Claude. *La pensée sauvage.* Paris: Plon, 1962, p. 230-259.

nações, não seja apenas um sonho e mais do que uma simples promessa, tornou-se uma exigência, Mireille Delmas-Marty[215] nos lembra que a humanidade goza de uma "má reputação" na medida em que seu universalismo é percebido como totalitário porque ameaça os homens em sua singularidade e é inquietante para a soberania dos Estados. Porém, para afastar tal crítica, é preciso então reconhecê-la como uma categoria jurídica que assume uma dupla dimensão: como vítima e como titular de direitos. Daí não concordarmos com a crítica daqueles que dizem ser o sentimento cosmopolítico uma mera ilusão que não encontra substrato na prática.

O segundo desafio diz respeito aos limites do exercício da alteridade que nem sempre atende o estado de diálogo necessário para que se atinja uma igualdade real, e não apenas uma igualdade abstrata. Como refere Frouville, o cosmopolitismo jurídico procura dar uma resposta à questão crucial da relação igualitária que deve envolver todo o membro da espécie humana em um mundo estruturado e constituído por Estados soberanos.[216] Assim, ele repousa sobre uma dupla afirmação: igualdade e respeito. Então a atitude deve ser contrária, ou seja, acreditar na possibilidade do diálogo. Para isso é preciso percorrer um percurso ético que conduz cada um de uma posição isolada e solipsista para a posição de abertura à conversação. Com isso o diálogo converte-se em uma obrigação não apenas moral mas também jurídica, com características de universalidade. Contudo, entre a atitude de diálogo e a percepção de universalidade há uma tensão e um risco de recaída constante de olhar apenas para si mesmo e de tomar uma atitude solipsista, ambas contrárias ao diálogo e ao universal.

O fato é que o sentimento cosmopolita, nessa perspectiva, se traveste em obrigação cívica que é central na relação entre o "eu" e os "outros" da sociedade. Então, não há diálogo possível sem obrigação. Desde Kant, a questão do direito torna-se a possibilidade de uma obrigação geral recíproca que vem concordar com a obrigação de cada um segundo leis universais. Tal percepção pressupõe a ultrapassagem de arquétipos construídos ao longo do tempo como, por exemplo, o de que a identidade dos indivíduos é essencialmente nacional, o que impede *a priori* o desenvolvimento do conceito de comunidade para além das fronteiras dos Estados. Com efeito, a

---

[215] DELMAS-MARTY, Mireille. *Les forces imaginantes du droit. Le relatif et l'universeL.* Paris: Seuil, 2004, p. 74.

[216] FROUVILLE, Olivier de. Qu'est-ce que le cosmopolitisme juridique? FROUVILLE, Olivier de. (Dir.). *Le cosmopolitisme juridique*, op., p. 51.

identidade fechada ao nacional se opõe à construção de outras que permitam sejam os "outros" percebidos como exemplos possíveis da humanidade.[217] Reconhecer a alteridade positiva de outras formas de "nós", de outras identidades individuais e coletivas, sem rejeitar a própria, nada mais é do que se abrir ao reconhecimento de outros modos de existência possíveis, como "variantes normais da humanidade".[218]

O terceiro está ligado à estrutura do mundo, ou seja, conformada em Estados soberanos, separados em territórios onde as populações se encontram, e o exercício do poder é exercido em espaços fechados. E tal estrutura seria um forte entrave para a concretização do cosmopolitismo jurídico. É justamente nesta linha de análise que a mais recente obra de David Miller,[219] um crítico do cosmopolitismo, trata do problema migratório contemporâneo. Para defender o fechamento das fronteiras nacionais, exceção feita aos refugiados e sob condições específicas, Miller fundamenta sua argumentação em um princípio fundamental que ele nomeia de "cosmopolitismo frágil" no sentido de que se "não há diferenças pertinentes entre as pessoas, nós devemos lhes dar igual consideração", ou seja, se esse princípio implica que todos os seres humanos merecem, *a priori,* uma consideração igual, é ele compatível com uma diferença de tratamento se existem "diferenças pertinentes" entre os indivíduos. Ora, a base dessa argumentação é extremamente débil na medida em que as diferenças que atingem pessoas em condição de extrema vulnerabilidade, como é o caso dos migrantes, não são naturalmente "pertinentes".

Essa posição de Miller é coincidente com as análises críticas desse autor, em obra em relação à justiça global no confronto que dela faz com a justiça social. Para Miller, ambas são distintas. A justiça social relaciona-se às demandas dos espaços nacionais, e a justiça global centra-se na necessidade de defesa dos direitos humanos em todos os lugares. E, se existe tensão entre ambas, o desafio é identificar regras de prioridade que possa resolvê-la. Reconhecendo como sendo limitado o altruísmo"[220] dos cidadãos de um Estado

---

[217] GUÉNANCIA, Pierre. L'idèe de nation d`un point de vue cosmopolitique. *Revue Esprit,* 2008. Disponível em: https://www.cairn.info/revue-esprit-2008-6-page-67.htm, p. 70-71.

[218] Id., p. 71.

[219] MILLER, David. *Strangers in Our Midst, The political Philosophy of Immigration.* Harvard: Harvard University Press, 2016, p. 23.

[220] MILLER, David. *Justice for earthlings. Essays in political philosophy.* Cambridge: University Press, 2013, p. 174-175. Disponível em: http://www.cambridgeblog.org/wp-content/uploads/2013/03/justice-for-earthlings.pdf.

em relação às reivindicações por justiça global, Miller, ao mesmo tempo em que afirma ser a justiça contextual, segue autores como Thomas Nagel e insiste em que há algo de especial na justiça social, o quê, nos leva a concluir que, para ele, os interesses internos devem ser priorizados.

Entretanto, somente pela compreensão de que as "constituições estrangeiras", as quais reúnem elementos comuns das normas cosmopolitas e são o *alter ego* do sujeito racional, é que se concretiza a primeira experiência cosmopolita que, segundo Foucault, é o consentimento à despossessão, isto é, a admissão de que o sentido cultural que se encontra além da fronteira do sujeito nacional, existe e ė constituído por outras consciências, além da sua.

Claro que esse último desafio contribui para as duas primeiras dificuldades, segundo Olivier de Frouville,[221] ou seja, para restringir o conceito de humanidade, quanto pela generalização de verdades que impedem a real alteridade por meio do diálogo. Talvez seja possível dizer que o problema não reside no impedimento do sentimento cosmopolita mas, mais gravemente, na dificuldade de sua efetividade prática.

Então, uma vez mais, o que é o cosmopolitismo jurídico? Se a resposta não pode advir do mundo pavimentado de Estados soberanos, do ponto de vista do direito internacional, na medida em que cada um faz o que é de seu próprio interesse e ainda pratica a guerra como resposta às diferenças, o cosmopolitismo jurídico é a doutrina que procura dar um sentido jurídico ao "sentimento cosmopolita", ou seja, à solidariedade de cada um com relação aos que estão tanto perto quanto longe de nós, em um mundo constituído ainda por estes Estados. E, além disso, é um projeto ético e moral traduzido por meio de uma filosofia normativa para levar as normas universalistas da ética para além dos limites dos Estados-Nação.

Mas é da conciliação e da síntese entre o universal e o particular que se encontra a fórmula kantiana que parte do direito público ao direito dos povos e deste ao direito cosmopolítico. Cada nível representa a garantia do outro e, assim, estende-se a toda a humanidade. O cosmopolitismo jurídico pretende pôr um fim à visão fragmentada do mundo e do direito. Ele parte da visão de uma só humanidade, no âmbito da qual a problemática do direito é ela

---

[221] FROUVILLE, Olivier de. Qu'est-ce que le cosmopolitisme juridique? FROUVILLE, Olivier de. (Dir.). *Le cosmopolitisme juridique*, op. cit., p. 46.

mesma única e fundada na unicidade da problemática da relação com o "outro".

Assim, se na origem, o cosmopolitismo kantiano pode ser entendido como referente à paz perpétua entre Estados, bem se veem os limites desta interpretação na contemporaneidade. Atualizar Kant é imperioso. Sem renegar o projeto de paz perpétua, esta deve ser compreendida como relacionada ao problema do direito na sua completude.

Essa perspectiva de análise ultrapassa o problema da fronteira e coloca em evidência o fato de que a guerra entre Estados não tem uma natureza diferente das violências praticadas entre os homens no interior destes mesmos Estados. Na verdade, são as mesmas normas morais e jurídicas que orientam a vida em sociedade para que o diálogo e a solidariedade sejam mantidos como expressão de civismo. A confirmação dessas premissas parece vir dos três artigos definitivos do Projeto de paz perpétua kantiano: a) estados devem ter uma constituição republicana; b) o direito internacional deve estar fundado em um federalismo de estados livres e; c) o direito cosmopolítico deve se ater as condições de hospitalidade universal em que cada pessoa tem um direito de visita porque há um direito comum de possessão sobre a face da terra

Parece assim ser possível afirmar que o direito cosmopolítico atribui conteúdo jurídico ao sentimento cosmopolítico com base na dupla afirmação de igualdade e de humanidade e que se expressa em três dimensões.

2.1.2. As três dimensões

Uma abordagem possível acerca da centralidade do direito reivindica três caminhos[222] de passagem para chegar-se ao mesmo destino que é o cosmopolitismo jurídico, dado inexistir com relação a ele harmonia de compreensão. Então, o primeiro será o de justificá-lo filosoficamente. O segundo será o de fundamentá-lo juridicamente. E o terceiro será o de implementá-lo politicamente.

Realizar a análise desses caminhos é um desafio enorme, cuja resposta seguramente está inacabada e, por isso mesmo, tem sido alvo de reflexões de inúmeros autores, os quais, embora apresentem perguntas distintas, como o fazem, por um lado, Axel Honnet e

[222] Eu agradeço muito ao meu generoso colega Ademar Pozzati Júnior por ter me conduzido a essas ideias e por ter me auxiliado na sua base teórica.

Seyla Benhabid, que perguntam por "como" fazer e, por outro, Mireille Delmas-Marty, que pergunta se o direito será capaz de fazer isso, em "qual dimensão e com qual direito?", são movidos pelas mesmas preocupações.

A fundamentação filosófica (a) para o cosmopolitismo jurídico, como foi possível verificar na primeira parte deste trabalho, pode ser encontrada na filosofia e na teoria política kantiana. É a lei moral que diz todos os seres humanos serem iguais e pertencentes a um mundo comum que determina o dever moral de reconhecer, distribuir e enquadrar a todos para que os direitos e, especialmente os direitos humanos, sejam protegidos e efetivados.

Na perspectiva do cosmopolitismo moral, a questão da fronteira coloca-se como central. Ora, desde a antiguidade, podem-se identificar duas interpretações distintas sobre a fronteira e sobre sua relação com o cosmopolitismo. Uma posição diz ser a fronteira uma instituição a ser negada, como o fez Diógenes. Outra, para quem a fronteira é uma instituição a ser reconhecida, vinda dos estoicos, os quais não negavam cidades particulares quanto também identificavam a ação política no âmbito delas. Com isso compreende-se que, para eles, para ser cidadão do mundo não se deveria renunciar às identidades locais, fontes de riquezas vitais, mas sim saber compreender que cada um está rodeado de círculos concêntricos, composto pelos mais próximos, como a família e pela mais distante, a humanidade.

O forte retorno ao cosmopolitismo a partir dos anos 80 do século passado ao invés de ter negado tal dicotomia, colocou-a no centro dos problemas produzidos no âmbito da mundialização. A questão visceral a ser respondida é se é possível ser cosmopolita, isto é, cidadão do mundo, e, ao mesmo tempo, reconhecer a validade política das fronteiras estabelecidas?

De fato, essas são questões importantes da filosofia e do cosmopolitismo moral sobre as quais inúmeros autores têm-se dedicado a responder. Como visto, desde a década de 90 do século passado, Martha Nussbaum[223] tem-se empenhado para encontrar respostas para a articulação entre o pertencimento nacional e identidade cosmopolita. O cosmopolitismo, para essa autora, supõe

---

[223] NUSSBAUM, Martha. *Patriotismo y cosmopolitismo*, op. cit., p. 6-9. Neste texto, Nussbaum critica a posição de Richard Rorty, que estimulava ao americanos a não desdenhar do valor do patriotismo e a conceder importância capital à emoção do orgulho nacional e ao sentimento de identidade nacional compartilhada. Para Nussbaum, em nenhum momento Richard Rorty sustentou que tal emoção pudesse estar vinculada a fundamentos de caráter mais internacional. *In: Patriotismo y cosmopolitismo*, op. cit.

uma capacidade de pensar as escolhas e as ações sem vinculá-las a determinações oriundas das fronteiras. Assim, Nussbaum apresenta quatro argumentos destinados a pôr em prática o cosmopolitismo moral. O primeiro diz respeito à educação cosmopolita, já que esta permitiria o aprendizado mais aprofundado da própria cultura. O segundo implica o reconhecimento de que os destinos dos Estados estão intimamente relacionados porque há matérias comuns que dizem respeito a todos. O terceiro determina que a existência real de obrigações morais com o restante da humanidade obriga os indivíduos e os Estados a levar a sério as necessidades dos outros justamente porque existem características básicas do ser humano que transcendem as fronteiras nacionais. O quarto conduz o reconhecimento do multiculturalismo com relação ao plano mundial e não apenas nacional.

A esses argumentos soma-se outro não menos importante. O cosmopolitismo moral trata de defender uma concepção de justiça social baseada nos princípios que permaneceram represados pelas fronteiras nacionais. A fronteira, assim, não tem qualquer pertinência pelo prisma da moral. Desse modo, os defensores do cosmopolitismo moral, à evidência, ultrapassam a visão rawlseniana de justiça social por ser esta restrita aos espaços nacionais e, sem pretender promover um igualitarismo plano e homogêneo, partem de um mínimo que é o reconhecimento da igual dignidade dos seres humanos para além das fronteiras.

Desse modo, o fundamento filosófico do cosmopolitismo implica uma postura ética que se funda na concepção de espaço sem fronteiras. Nesse sentido, a noção de vinculação geográfica, então a um território, a partir da qual o sentimento de pertença foi historicamente construído, cede lugar à vinculação não mais a um território circunscrito, e sim à comunidade que vive sob um território. Além disso, ele oferece uma perspectiva positiva para os indivíduos na medida em que não se funda numa vinculação individual, mas na identidade entre o "eu" e os "outros" sendo, então, universal.

Como pergunta Louis Lourme,[224] a abertura política das fronteiras conduz a uma problemática de dupla face, ou seja, deve-se escolher entre uma "ética sem fronteiras" e uma "política com fronteiras" ou ambas não são excludentes uma da outra? Seguramente não se pode recair na dicotomia que leva à exclusão porque a força das coisas demonstra que as fronteiras existem e submetem os que

[224] LOURME, Louis. L`usage des fronteires d`un point de vue cosmopolitique. *Revue internationale d`étique sociétale et gouvernamentale*, vol. 17, n. 1, 2015.

estão sob um território, razão pela qual a postura ética individual não deverá ser antipolítica. Por outro lado, o cosmopolitismo não se reduz a esta ética individual e, por isso, é necessário pensar-se no que ele pode promover em termos de expansão das fronteiras políticas e jurídicas.

A fundamentação jurídica (b) está baseada nos textos gerais e especiais internacionais, transnacionais e regionais de direitos humanos. É do conteúdo destes textos que se permite seja a lei moral implementada, pois sem ela a lei jurídica é vazia. Há de ser reconhecido que a associação do direito ao cosmopolitismo vem dos antigos estoicistas, e a ligação do direito à moral é identificada em Kant[225] e foi repetida na doutrina por certos internacionalistas como Habermas a partir da sua ética da discussão e da sua preocupação normativa. Por isso, não se pode ter a ilusão de que o cosmopolitismo jurídico irá se afirmar sem a mediação do direito ou sem os "meios do direito".

O fundamento jurídico do cosmopolitismo, como já foi referido, também pode ser encontrado em Kant por ter ele reconhecido que a intersubjetividade não tem fronteiras na medida em que reúne toda a humanidade em sua capacidade de se comunicar. Habermas compreendeu bem essa face do cosmopolitismo kantiano.[226] Ao reconhecer a dimensão procedimental do cosmopolitismo, o filósofo viso a balizar minimamente as condições para a constituição de uma comunidade cosmopolítica, dar um sentido a ela, quanto reforçar o papel dos sujeitos individuais, os primeiros destinatários do direito cosmopolítico. Para Habermas, o direito cosmopolítico também pode jogar um papel emancipador concreto porque o discurso universalista não se destina a excluir, e sim incluir. A exclusão, para Habermas, trai a própria ideia cosmopolita. A partir disso, a ideia cosmopolita radicaliza-se na crítica ao realismo que condena os seres humanos à miséria, às ditaduras, à exclusão e à submissão que, como é notório, decorrem da força do mercado mundial.

Por isso, o humanismo planetário apregoado por Habermas deve concretizar-se nos movimentos sociais e políticos que expressem esta ideia do direito cosmopolítico no plano internacional e sejam a base democrática da constitucionalização do direito internacional.[227] Essa posição habermasiana está justificada no fato de

---

[225] DUPUY, Pierre-Marie. *Actualitá du cosmpopolitisme jurisdique*: revenir à Kant pour mieux le dépasser?, op. cit., p. 435.

[226] HABERMAS, J. *O ocidente dividido*, op. cit. p. 115-204.

[227] Op. cit. p. 145.

que o direito cosmopolítico é jurídico, e não apenas moral. Esse é então o ponto de intersecção entre Kant e Habermas. Para esse último autor, a existência dos direitos humanos simboliza a exigência jurídica na comunidade jurídica. Para ele, os direitos humanos não têm origem natural, e o que confere um pertencimento aos direitos morais não é o seu conteúdo nem sua estrutura, mas seu sentido de validade que ultrapassa as ordens jurídicas dos Estados-Nação.

Assim, pelo fato de que tais direitos se dirigem a todas as pessoas em razão de sua condição de seres humanos, ultrapassam toda restrição nacional, conformando a comunidade "pós-nacional".[228] Projetam, assim, a questão de sua validade universal no plano de um direito cosmopolítico. Os direitos humanos estabelecem o quadro de uma comunidade cosmopolítica juridicamente válida. Como Kant, Habermas simboliza um humanismo jurídico disponível para todo o ser humano. Mas, ao contrário de Kant, Habermas diz que este humanismo deriva da intersubjetividade comunicacional, e não de uma vontade universal previamente dada. A comunidade cosmopolita para Habermas, como lugar de realização do cosmopolitismo, se constitui comunicacionalmente, e o direito cosmopolítico, então, não surge apenas da razão como pretendeu Kant, e sim do diálogo, da comunicação e da intersubjetividade. A cooperação, fundamento para a concretização dos valores comuns da humanidade, é a via indispensável que a perspectiva cosmopolita apresenta para concretizar a premissa habermasiana do diálogo.

O direito cosmopolítico passa, assim, a ser o fundamento de uma judiciarização[229] de problemas mais ou menos comuns da humanidade. Daí ser fundamental o papel de uma instituição internacional como a ONU. O projeto de direitos humanos propõe seja aberto um acordo normativo sobre o tema entre Ocidente, Oriente e África na medida em que a comunidade internacional não é pré-dada, mas criada na comunicação desenvolvida no espaço público mundial que delineia o fundamento político do cosmopolitismo, como será visto. O tema da paz deve ser compreendido não apenas como a falta de guerra mas, sobretudo, que sejam criadas

[228] HABERMAS, J. *A constelação pós-nacional. Ensaios políticos.* São Paulo: Littera Mundi, 2001, p. 75-142.

[229] Ela está representada na intensa e crescente atuação das Cortes de Direitos humanos supranacionais. Arrisca-se a dizer que o século XXI é aquele em que, cada vez mais, haverá o chamado a tais tribunais por sua vocação primeira que é a proteção dos direitos humanos, como é o caso da Corte Europeia, da Corte Interamericana, da Corte Africana e estão em gestação as Cortes árabe e asiática. Sobre o tema ver: ANDRIANTSIMBAZOVINA, Joël. BURGORGUE-LARSEN, Laurence. TOUZÉ, Sébastian. *La protection des droits de l'homme par les cours supranationales.* Paris: Pedone, 2016.

condições para impedir as guerras não apenas ancorado no pacifismo jurídico kantiano que pregou o fim dos exércitos, mas a partir de uma política universal e democrática para resolver conflitos, ainda sabidamente inexistente.

Há assim que se entender que tanto em Kant quanto em Habermas o que se pretende é transformar o estado de natureza em estado de direito seja pela via do federalismo, como Kant propôs, seja pela emergência de um estado de direito planetário, embasado na solidariedade e distante de qualquer ideia de Estado mundial, como propôs Habermas.[230]

A implementação política (c) é a terceira dimensão do cosmopolitismo. Na verdade, o cosmopolitismo – e sua expressão prática, a cosmopolitização[231] – recebe uma efetiva dimensão normativa se a ela estiver associado um argumento do tipo político. Ora, de nada adiantará sejam pensadas as interações normativas que advêm da produção de normas protetivas dos direitos humanos pelos Estados, pelas Cortes internacionais e regionais, por organizações internacionais e entidades de regulamentação em vários domínios, fontes diversas e híbridas que conformam o pluralismo normativo,[232] sem que também o sejam mecanismos de implementação da normatividade na prática. O que emerge neste contexto é a ligação entre a perspectiva jurídica do cosmopolitismo jurídico e a legitimação democrática para sua efetivação para evitar, de um lado, que seja reduzido e engolido pelas instâncias estatais e, de outro, seja absorvido por pretensões imperialistas no plano internacional.

Os recentes episódios globais de intensa fragilização das democracias com a volta de movimentos e governos ultraconservadores em cuja agenda o estado de direito tem sido enormemente sacrificado parecem indicar, mais uma vez, que a pretensão de alguns autores em construir uma democracia cosmopolita, na condição de uma alternativa para os riscos globais e em reconhecimento de uma comunidade de destino, é objetivo que se depara com incontáveis

---

[230] HABERMAS, J. *A constelação pós-nacional. Ensaios políticos.* São Paulo: Littera Mundi, 2001, p. 74.

[231] BECK, Ulrich diz que a cosmopolitização expressa a dimensão passiva do cosmopolitismo, ou seja, trata-se da emergência dos fenômenos sociais que decorrem da globalização no campo econômico e da mundialização no campo jurídico-político-social. Trata-se de pensar que a partir da cosmopolitização a realidade se torna cosmopolita e o paradigma nacional-nacional cede lugar ao translocal, local-global, transnacional e global-global. *In: La mirada cosmopolita o guerra es la paz,* op. cit. p. 53.

[232] BERMAN, Paul Schiff. Le nouveau pluralisme juridique. *Revue internationale de droit économique,* 2013/1 (t.XXVII), p. 229-256.

obstáculos, dos quais seus críticos se servem para tecer críticas irônicas, como a que fez Ralph Dahrendorf[233] ao sugerir que pretender uma democracia mundial seria o mesmo que "latir para a lua".

Esse é um problema que acompanha a dinâmica das relações globalizadas e não é novo, como se sabe. Stiglitz,[234] para propor a conformação de "um novo mundo" com mais justiça social, disse que um dos pressupostos para isso é o de democratizar a mundialização que padece de fortes *deficits* democráticos em sua gestão, sobretudo porque em nível internacional, ainda não foram criadas instituições inteiramente democráticas capazes de conter os seus excessos. A reação a tal *deficit* deveria obedecer uma dupla via segundo Stiglitz: a) as regras devem ser mudadas e; b) maior atenção deve ser dada às decisões das instâncias internacionais.

O trabalho lúcido de Mircille Delmas-Marty[235] também identificou como uma das fragilidades do universalismo jurídico o mercado sem fronteiras que erosiona o sentido de soberania e de democracia, dois dos pilares do estado de direito. A alternativa, segundo essa autora, seria conceber uma noção de ordem pública mundial bastante peculiar, ou seja, derivada da coletividade de Estados e de atores privados, e não apenas dos Estados. Este seria o modelo de uma sociedade aberta que criaria condições para o surgimento do cosmopolitismo jurídico, noção que exprimiria a "tradução jurídica com preocupações éticas".[236] Se essa ideia data de 2004, em obra recente da mesma autora, ao tratar dos efeitos globais do Acordo de Paris sobre o clima, do ano de 2015 e sem abandonar o profundo senso de realidade que marca seu pensamento, questiona sobre a possibilidade real de construir-se um cosmopolitismo democrático. Para isso, um dos pressupostos será o de reconciliar o espírito de cooperação com o de competição, ambos duas expressões do tempo em que vivemos. Para esse fim, o propósito central de Delmas-Marty

---

233 DAHRENDORF, Ralph. *Dopo la democracia.* Roma: Laterza, 2001, p. 9.

234 STIGLITZ, J. *Um autre monde. Contre le fanatisme du marché.* Paris: Fayard, 2006, p. 456-471. Stiglitz propõe como alternativas concretas: a) mudar a estrutura de votos no FMI e no Banco Mundial; b) Mudar a natureza de representação nestas instituições; c) adotar os princípios de representação; d) aumentar a transparência; e) melhorar as regras de conflitos de interesse; f) melhorar os processos para garantir mais transparência; g) reforçar a capacidade dos países em desenvolvimento; h) melhorar a responsabilidade; i) melhorar os processo judiciários; j) fazer respeitar o Estado de direito internacional.

235 DELMAS-MARTY, Mireille. *Les forces imaginantes du droit. Le relatif et l`universel.* Seuil: Paris, 2004, p. 96-109.

236 Op. cit., p. 115.

é que não basta criarem-se novos conceitos jurídicos, e sim é necessário criarem-se novos instrumentos jurídicos.[237]

Com efeito, os defensores do cosmopolitismo, embora reconheçam um significativo *deficit* democrático na mundialização, seguem acreditando que a democratização é o caminho possível para retirar o cosmopolitismo do campo da moral para que se torne uma realidade jurídica. Assim, a implementação política deve ter como horizonte a democracia cosmopolita por meio da qual a dimensão normativa é reconhecida e efetivada. E para isso os novos instrumentos jurídicos referidos por Delmas-Marty são o antecedente necessário. Não estamos certos se o ponto de partida seja mesmo a necessidade de criarem-se novos instrumentos ou se, aqueles que as democracias consolidadas já dispõem seriam as balizas renovadas/adequadas à ordem cosmopolita.

Autores da mais elevada significância teórica têm-se debruçado sobre essa questão. O conjunto da produção intelectual de Daniele Archibugi[238] demonstra ser central para ele a consolidação da democracia cosmopolita. Sem desconhecer as severas críticas vindas de autores não menores, Archibugi propõe sete pressupostos para que esse modelo tenha condições de possibilidade de existência: a) a democracia deve ser concebida como um processo sem fim, situado em um dado contexto histórico e preparado para cuidar dos interesses das gerações futuras; b) os cenários de conflitos internacionais entre Estados provocam limitações dos direitos humanos no plano interno; c) a democracia praticada internamente pelos Estados facilita a paz mas, concordando com os realistas, dela não se podem esperar políticas externas virtuosas; d) a democracia mundial não é apenas resultado da democracia interna, pois a democratização do sistema mundial pressupõe uso de ferramentas legítimas para pôr fim aos Estados autocráticos que existem; e) a globalização erosiona a autonomia política dos estados. Por isso é preciso pensar nos meios pelos quais se podem estruturar níveis de deliberação para as comunidades políticas que sejam verdadeiramente democráticos; f) as comunidades de interessados não coincidem mais com as fronteiras nacionais, na medida em que há questões transfronteiras que reivindicam respostas da mesma natureza; g) participação mundial na perspectiva do pertencimento ao planeta e que coloca em pauta o problema da esfera pública mundial.

---

[237] *Aux quatre vents du monde. Petit guide de navigation sur l'océan de la mondialisation*, op. cit. p. 35.

[238] ARCHIBUGI, Daniele. *La democracia cosmopolita: una respuesta a las criticas*, op. cit., p. 6-8.

O fundamento político do cosmopolitismo faz emergir uma preocupação nova que esteve ausente no passado quando, ao modo de Diógenes, a expressão *cidadão do mundo* manifestava mais um estado de alma e menos uma atitude política frente ao *status quo*. Ao contrário disso, a preocupação central dos defensores da democracia cosmopolita, é responder a pergunta apresentada por Archibugi em 2009[239] de "como democratizar a mundialização e, ao mesmo tempo, como mundializar a democracia?". A resposta a esta pergunta cardinal pressupõe que se saiba diagnosticar a época presente para então perceber a necessidade de uma "cosmopolítica" que esteja à altura das dinâmicas da mundialização de sorte a fazer que os atores desta política não sejam mais apenas os Estados mas também os cidadãos e os grupos de cidadãos. Esse projeto apresenta como figura central a questão técnica dos meios institucionais por meio dos quais a cidadania mundial pós-nacional poderá assumir esse papel ao lado dos entes estatais, ou seja, como dar substancialidade e legitimidade à sua atuação. Refletir sobre a centralidade do direito pode ser uma via possível.

2.2. Centralidade e imperatividade do direito

A obrigação moral de respeitar os direitos humanos é um ideal que está ainda longe de ser alcançado. As violações massivas desses direitos, seja pela prática das guerras externas e internas, quanto pelo devastador quadro global de miséria, exclusão e de violências por motivos religiosos, étnicos, sexuais, de gênero, entre outros, mostra que a lei moral é um ideal que deve estar substancializado nas leis jurídicas.

Mas esses não são os únicos fatores a colocar em xeque os direitos humanos e a sua juridicidade. Um fenômeno mais largo e mais profundo atinge essa ideia de centralidade do direito se perguntarmos: acerca de qual direito estamos nos referindo? Essa é uma pergunta visceral para quem pretende afirmar, como nós, que a centralidade do direito é a marca registrada do cosmopolitismo jurídico na medida em que ele é o meio para a inclusão da ética e dos valores morais nas normas jurídicas.

Então, o primeiro desafio a enfrentar é o de saber reconhecer que a paisagem jurídica mudou verdadeiramente e que, assumir a

[239] ARCHIBUGI, Daniele. *La démocratie cosmopolite. Sur la voir d`une démocratie mondiale.* Paris: Cerf, 2009, Coll. Humanités, p. 28.

existência de tal mudança, pressupõe um específico tipo de saber, qual seja, de qual direito estamos falando quando afirmamos sua centralidade?

Ora, o ponto de partida é reconhecer ter a ordem jurídica tradicional - completa e coerente - sido substituída por formas normativas novas - complexas, interativas e incoerentes - e, por vezes, absolutamente não identificadas a formar os ONNI - Organismos jurídicos não identificados -[240] que nos vinculam, determinam nossos comportamentos, mas que têm origem em fontes diversas das legislativas.

Ademais, não são apenas ordens normativas novas que surgem no horizonte jurídico, o que vemos também são espaços normativos novos que superam a dimensão estatal por desenharem novas geografias, como as regionais e supranacionais e, além deles, nos deparamos com "não espaços" normativos na medida em que consistem em uma "não geografia", ideia essa compatível com a dimensão virtual das relações contemporâneas. Se é assim, somos cotidianamente interpelados pela "Tragédia dos Três C",[241] ou seja, quanto mais complexas se tornam tais ordens normativas, espaços e não espaços normativos, menos coerência e menos completude alcançamos. Tal cenário envolve importantes ambiguidades entre *hard law* e *soft law* que inevitavelmente repercutirão na imperatividade do direito. A primeira consistente em um direito forte e a segunda[242] em um direito *mou* (facultativo), *doux* (não sancionador)e *fou* (impreciso).

Essa dupla face da normatividade apresenta importantes desafios interpretativos. Se é verdade que o cosmopolitismo jurídico depende do direito para existir, certamente a centralidade deste fragiliza-se quando questões centrais à mundialização e que dizem respeito à comunidade humana[243] do presente e do futuro são reguladas por meio da *soft law* como, por exemplo, as questões climáti-

---

[240] FRYDMAN, Benoit. Prendre les standards et les indicateurs au sérieux. *In: Gouverner par les standards et les indicateurs. De Hume aux Rankings.* Bruxelles: Bruylant, 2014, p. 5-65.

[241] DELMAS-MARTY, Mireille. *Aux quatre vents du monde. Petit guide de navigation sur l`océan de la mondialisation.* Paris: Seuil, 2016, p. 13. A autora em obras anteriores faz referência à Tragédia dos Três "C" para ilustrar a vanidade de encontrar certeza e coerência em um mundo complexo como que que vivemos.

[242] Id., p. 39.

[243] À diferença da "comunidade internacional" que, em geral, foi atribuída à unidade do gênero humano a partir do século 16 pela escola do direito internacional, a qual pretendia fundar, para além da anarquia entre os Estados, a existência de uma ordem natural entre as comunidades humanas, a "comunidade humana" deve ser compreendida como o resultado da intersecção das comunidades humanas nacionais, locais e regionais quanto também da co-

cas. Esse é o grande desafio que, ao fim e ao cabo, se apresenta aos Estados, maiores destinatários desta normatividade global.

Mireille Delmas-Marty,[244] acerca do Acordo de Paris sobre o clima, do ano de 2015, refere que essas ambiguidades entre a *hard law* e a *soft law* são visíveis e necessitam ser enfrentadas justamente porque o referido Acordo é *flou*, não é *mou* e é *doux*. A obrigatoriedade advém de sua natureza de tratado e da presença de numerosas obrigações previstas em seu texto, o que, obviamente, não poderá ser desprezado pelos Estados. Por outro lado, também por não prever mecanismos de controle nem punições sendo, neste aspecto mais *doux* que o Protocolo de Kyoto, prevê um sistema de transparência, por meio de monitoramentos e verificações que serão aplicados a todos os países que assinaram o Acordo.[245] Desse modo, não sendo possível abrir mão da normatividade para efetivar, de fato, a proteção dos direitos relativos à comunidade humana, parece ser urgente encontrar caminhos para "endurecer" a *soft law*, aplicando-se sanções[246] quando o Acordo não for cumprido. Toda dificuldade está e isso é, em geral, bastante recorrente quando se trata de destrinchar essa intricada teia de normatividades globais, em saber qual será o juiz competente e qual direito irá reger a aplicação de tais sanções.

De todo o modo, seja o direito *hard* ou *soft*, ele é inerente ao cosmopolitismo. E para que esse seja democrático, tal como defende Danielle Archibugi, é preciso assumir como condição de sua possibilidade concreta os elementos que qualificam as democracias nacionais. Transfere-se ao plano não nacional a necessidade de que exista um quadro mínimo de características para que o cosmopolitismo passe do mundo das ideias para a existência prática. Com isso, não há possibilidade de o cosmopolitismo afirmar-se como jurídico, como refere Pierre-Marie Dupuy,[247] sem que passe pela mediação do direito, como já previra Kant.

A prática de crimes contra a humanidade, que as gerações do século XX bem conheceram e que as do presente século ainda experimentam massivamente, endossam o apelo à prática da justiça uni-

munidade de Estados. DELMAS-MARTY, Mireille. *Les forces imaginantes du droit (IV). Vers une communauté de valeurs?*, op. cit., p. 10-11.

244 Id., p. 42.

245 Art. 13 do Acordo.

246 Id., p. 42.

247 DUPUY, Pierre. *Actualité du cosmopolitisme juridique: revenir à Kant pour mieux le dépasser?*, op. cit., p. 435.

versal quando as justiças dos Estados são omissas ou não dispõem de condições materiais para atuar. As normas jurídicas, então, são o instrumento que dão base para que a lei moral atue. Assim, o direito apresenta-se como meio para a inclusão da ética nas normas jurídicas, mas também aparece como substância e como finalidade relacionado ao homem na condição de pessoa humana, e não como integrante de um país e detentor de uma nacionalidade que, ao mesmo tempo, o inclui e o exclui.

Contudo, a centralidade do direito para conformar o cosmopolitismo jurídico, assim como a moral, não é suficiente. É preciso associar a noção de direito imperativo ou de *jus cogens* com as determinações do direito internacional público, como a jurisprudência dos tribunais internacionais tem reconhecido e que vincula os Estados e o direito nacional. Embora as conhecidas teorias monistas e dualistas do direito nacional/internacional, Kelsen[248] foi certeiro ao dizer que a validade das normas de direito internacional não dependia do reconhecimento do Estado, isso porque quando um novo Estado passa a existir recebe do direito internacional todas as obrigações e direitos que a esses entes são conferidas. Para Kelsen, há uma unidade epistemológica[249] entre a esfera nacional e a internacional, de modo a que nenhuma seja superior a outra, mas que haveria a necessidade de existir uma terceira ordem superior, que não foi identificada por ele. Tal vazio na teoria kelseniana pode hoje ser preenchido pelo cosmopolitismo jurídico que se ocupa das relações entres os Estados e os indivíduos no plano das relações globalizadas e mundializadas.

As graves violações de direitos humanos e do direito internacional humanitário, por exemplo, representam violação do *jus cogens*, cuja consequência é a responsabilidade internacional dos Estados violadores e a imposição de dever de reparação às vítimas por violação do "dever de retidão" em conformidade com a *ratio recta* do direito natural, como afirmou Cançado Trindade[250] ao tratar do caso Croácia vs. Sérvia, julgado em 2015 pela Corte Internacional de Justiça.

Com efeito, mais do que uma noção, essa imperatividade está presente nos textos de importantes documentos internacionais. O pórtico é o art. 53 da Convenção de Viena sobre o direito dos trata-

[248] KELSEN, Hans. *Teoria geral do direito e do Estado.* São Paulo: Martins Fontes, 2005, p. 541.

[249] Id., p. 530.

[250] CANÇADO TRINDADE, A.A. *A responsabilidade do Estado sob a Convenção contra o Genocídio: em defesa da dignidade humana.* Haia/Fortaleza: IBDH-IIDH, 2015.

dos do ano de 1969 de cuja hermenêutica se extrai a compreensão de que existem normas não apenas obrigatórias mas, sobretudo, imperativas que, em razão dessa natureza, são inderrogáveis.

Existem determinados valores morais que por força do *jus cogens* se transformaram em normas jurídicas que não admitem exceções, como as que proíbem os crimes contra a humanidade e as que impõem o respeito à dignidade humana. Assim, o *jus cogens* não apenas reflete mas constitui mesmo a emergência de considerações superiores de ordem pública que se traduzem na existência de normas imperativas de direito internacional e de direitos fundamentais que não podem ser derrogadas e que impõem obrigações *erga omnes*[251] de proteção. Esses elementos são incompatíveis com o modelo westfaliano e do positivismo voluntarista que explicava a formação das normas internacionais do passado. O artigo 53 citado é a prova de que existem valores comuns no âmbito da comunidade internacional que obriga todos os Estados.

A posição divergente adotada por Cançado Trindade[252] no caso Croácia vs. Sérvia ilustra ser acertada essa hermenêutica na medida em que há um *corpus juris* de proteção internacional da pessoa humana que não pode ser interpretado tampouco aplicado de modo compartimentalizado, como é o caso do direito internacional dos direitos humanos (DIDH), do direito internacional humanitário (DIH), do direito internacional dos refugiados (DIR) e do direito penal internacional (DPI).

Esse conjunto de textos internacionais protetivos dos direitos humanos é a evidência de que a humanidade deve sim progredir na busca de normas indispensáveis em escala mundial. Entretanto, essa dimensão, sozinha, não é suficiente. É preciso que tais normas sejam dotadas de um estatuto particular que impeça sua derrogação por qualquer pessoa ou por qualquer nível de organização política.

Se os Estados, infelizmente, ainda insistem em violar o *jus cogens*, cuja lista de exemplos é longa, os tribunais internacionais não hesitam em utilizar essa categoria para decidir casos de relevância histórica e internacional. A Corte internacional de justiça admitiu expressamente ter a interdição do genocídio caráter de *jus cogens*

---

[251] CANÇADO TRINDADE, A.A. *Le droit international pour la personne humaine*. Paris: Pedone, 2012, p. 363.

[252] CANÇADO TRINDADE, A.A. *A responsabilidade do Estado sob a Convenção contra o Genocídio: em defesa da dignidade humana*, op. cit., p. 21.

por ocasião do julgamento do caso República Democrática do Congo vs. Ruanda.[253]

O Tribunal penal internacional para a ex-Iugoslávia no processo *Kupreskic*[254] entendeu que regras de natureza imperativa e inderrogáveis não admitiam a tortura em nenhuma hipótese e que as regras mais importantes do direito humanitário possuem caráter de *jus cogens*. O Tribunal de primeira instância da justiça da União Europeia no conhecido caso *Kadi*[255] entendeu que as resoluções do Conselho de Segurança da ONU, mesmo sendo obrigatórias, devem respeitar as disposições inderrogáveis do *jus cogens*, e que esse direito deveria ser entendido como uma ordem pública internacional que se impõe aos sujeitos de direito internacional, inclusive as instâncias da ONU.

A noção do *jus cogens* e o reconhecimento de sua imperatividade é a antessala do progresso do cosmopolitismo jurídico. Embora ele certamente não possa ser ilimitado deve, então, opor-se a tudo aquilo que viola a dignidade humana e a humanidade[256] enquanto uma categoria jurídica titular de direitos. Daí decorre a repressão aos crimes que transgridam o direito internacional humanitário porque suas normas são expressões de um direito imperativo que se impõe a todos, sem exceção. É a interdição do desumano que está em jogo. Mas não só, uma revisão filosófica e antropológica, tão urgente quanto indispensável, nos conduz a colocar em xeque a matriz dos direitos "humanos" para alargar a razão jurídica e abranger os animais não humanos e a natureza em geral, em cujo âmbito normas universais são imprescindíveis para evitar que o mundo descambe para as piores e mais graves injustiças.

Assim, se para alguns, como os defensores do realismo das relações internacionais, ou para os sociólogos, a "comunidade humana" é mais um ideal do que uma realidade, a existência de jurisdições internacionais, quanto de normas jurídicas da mesma natureza

[253] Disponível em: http://www.icj-cij.org/docket/files/126/10435.pdf.

[254] Processo IT 95-16-T, par. 510 à 519, julgado em 14 de janeiro de 2000. Disponível em: http://www.icty.org/x/cases/kupreskic/tjug/fr/kup-tj000114f.pdf. Acesso em 16 de abril de 2017.

[255] Processo T – 315/01 – Yassin Abdullah Kadi vs. Conselho da União Europeia, julgado em 21 de setembro de 2005, par. 230. Disponível em: http://curia.europa.eu/juris/showPdf.jsf;jsessionid=9ea7d0f130d68fc6061035d2408cb542f81fc03dee47.e34KaxiLc3eQc40LaxqMbN4Pax0Qe0?text=&docid=59906&pageIndex=0&doclang=PT&mode=lst&dir=&occ=first&part=1&cid=53345.

[256] A consideração da humanidade como vítima e como titular de direitos está em DELMAS-MARTY, Mireille. *Les forces imaginantes du droit. Le relatif et l'universel.* Paris: Seuil, 2004, p. 74-94.

e que se destinam a dar efetividade àqueles valores comuns protetivos dos direitos humanos se não fragilizam de todo essas posições contrárias, servem para demonstrar que seus detratores não são os porta-vozes exclusivos de toda a realidade, e que o cosmopolitismo jurídico é mais do que uma aspiração ideal kantiana.

Se a ideologia moral e a filosofia política que orientam as reflexões acerca do cosmopolitismo têm sofrido severas críticas, sendo a maior delas, a falta de correspondência entre o que se prega em teoria e o que ocorre na prática, o fato de os Estados firmarem convenções e tratados gerais e especiais protetivos dos direitos humanos os obrigam a cumprir as disposições desses instrumentos jurídicos. Assim, podem e devem ser lembrados que assumiram não apenas deveres morais quanto também jurídicos.

Há, de fato, uma relação de complementaridade entre o cosmopolitismo de convicção que deriva desde a filosofia antiga e as ações globais de atores variados que têm lembrado constantemente os Estados de seus deveres formalizados em textos jurídicos internacionais que depois do fim da Segunda Guerra Mundial, além de Declaração Universal de Direitos Humanos, beiram a uma centena de Tratados e Convenções de proteção à pessoa humana, evidenciando, assim, uma expansão do direito internacional dos direitos humanos.

É, então, na confluência entre os deveres morais e a ação social que pode ser identificada contribuição do direito para o desenho do cosmopolitismo[257] que, ao final, deverá ancorar-se em razões de humanidade, e não na ultrapassada *ratio* de l'État.

O espaço público mundial onde frutificam as expressões da sociedade civil internacional tem sido o auxílio necessário à ação das organizações internacionais e um agente de realização dos valores da comunidade internacional. Desde 2011, as manifestações globais por democracia, pelo fim de ditaduras e da desigualdade estrutural ergueram-se a partir de fatos sociais transnacionais incontestáveis. Resta saber, ainda, se essas organizações conformam ou não as chamadas democracias cosmopolitas, o que passa também pelo fortalecimento de instituições que existem ou pela criação de novas instituições.

---

[257] DUPUY, Pierre. *Actualitá du cosmpopolitisme jurisdique: revenir à Kant pour mieux le dépasser?* op. cit., p. 438.

Capítulo III – Do projeto às práticas cosmopolitas: meios institucionais, espaços públicos, normas e atores cosmopolitas

O cosmopolitismo jurídico, sem dúvida, como todo campo novo em construção, trava uma luta intensa consigo mesmo: desenvolver-se; assim, em muitas dimensões emerge ainda como um projeto e um processo. Mas o curso da evolução e a força das relações mundializadas fazem com que já seja uma prática. A percepção de que esse é, de fato, o percurso a ser feito e de que inexistem fases estanques e separadas, permite o reconhecimento de alguns elementos que podem ser traduzidos como pertencentes à substância do cosmopolitismo jurídico. Embora não estejam plenamente consolidados até o presente, eles geram efeitos práticos que se diferenciam daqueles produzidos na esfera do Estado-Nação e do direito internacional. Eles são os meios institucionais (3.1), os espaços públicos cosmopolitas (3.2), as normas cosmopolitas e o fenômeno da jusgenerativiadade (3.3) e, finalmente, os sujeitos do cosmopolitismo (3.4).

3.1. Os meios institucionais: dos modelos ao movimento

O cosmopolitismo também significa "ter mundo". Não foi o que aconteceu com Hitler, como se sabe. A vontade do ditador em construir um mundo homogêneo de raça pura foi a expressão maior de que ele sofria de um "acosmismo"[258] porque não foi capaz de transcender o acaso do nascimento associado à sua biografia. Como bem lembra Michel Foessel,[259] Hitler foi o exemplo de alguém que tinha "cólera contra o mundo", representada pela "atrofia do possível", pela impossibilidade de realizar seus projetos porque o mundo era e é bem maior do que a existência finita do ditador. Não foi por outra razão que Hitler inscreveu suas políticas mortíferas na ordem da urgência, como decorrência do pânico que nutria pelo "tempo que passa"[260] numa evidente tentativa de instaurar um modelo com pretensão à perenidade.

Ao contrário, ter mundo é não apenas ter a capacidade de escapar daquelas qualificações particulares determinadas pelo acaso do

[258] FOESSEL, Michel. *Après la fin du monde. Critique de la raison apocalyptique.* Paris: Seuil, 2012, p. 259.
[259] Id., p. 260.
[260] Id., p. 261.

nascimento mas é, antes, ter um horizonte de possibilidades. Além disso, é ter consciência da finitude, o que faz com que tal representação do mundo seja cosmopolita. Consiste também em defender uma nova razão jurídica para passar dos modelos conhecidos e consolidados para o movimento, muito mais compatível com os ventos da mundialização.[261]

Pierre Guénancia[262] mostrou bem que essa representação do mundo implica uma modificação do olhar, o que é também o reconhecimento de pertencer a qualquer coisa maior que si e que, é possível, seja compreendido como um outro cosmopolitismo. Ora, a admissão da passagem dos "modelos" ao "movimento" como sendo uma das consequências inexoráveis da mundialização, torna possível pensar-se num universalismo das diferenças,[263] como já pensara Vico[264] no século XVI e que, no século XIX, foi retomado por Montaigne quando reconheceu um "*multiversum*"[265] presente na multiplicidade dos tempos e dos lugares que, somados, constituem a história de um modelo cosmológico[266] que, à evidência, ultrapassa Kant, sem rejeitá-lo.

Ora, as instituições são esses entes que, durem ou não no tempo e, nesse último caso, quando aparecem apenas como resíduos corrompidos pelo tempo, não dizem outra coisa que não sobre a diferença entre a temporalidade do mundo e da vida. Mas mesmo que elas, por natureza, como o homem, estão fadadas a desaparecer, podem ter, no entanto, vida mais longa que a humana. Assim, a existência político-jurídica do cosmopolitismo depende da *expertise* humana em criar instituições ou em aprimorar aquelas que já existem sem abdicar dos princípios democráticos e da preocupação com as gerações do futuro. Nesse sentido, Stéphane Chauvier[267] observa que o cosmopolitismo institucional envolve uma questão chave que é a de saber quais os dispositivos institucionais ou organizacionais encontram-se em condições de realizar o ideal cosmopolita e balizar

[261] DELMAS-MARTY, Mireille. *Aux quatre vents du monde...*, op. cit. p. 14.

[262] GUÉNANCIA, Pierre. L`idée de nation d`un point de vue comopolite, op. cit., p. 73.

[263] A expressão é de MARRAMAO, Giacomo. Dopo babele. Per um cosmopolitismo della differenza. Eikasia. *Revista de Filosofia,* ano IV, 25, 2009. Disponível em: http://www.revistadefilosofia.org/25-05.pdf.

[264] VICO, Giambattista. *A Ciência Nova.* Rio de Janeiro/São Paulo: 1999, p. 487.

[265] Essa ideia é retomada por BODEI, Remo. *Tempo e storia in Ernest Bloch.* Napoli: Bibliopolis, 1979.

[266] BALLIBAR, Éttinne. *Des Universels. Essais et conférences.* Paris: Galilée, 2016, p. 162.

[267] CHAUVIER, Stéphane. Le cosmopolitisme institutionnel n`est-il qu`um aimable utopie? In: FROUVILLE, Olivier de. *Le cosmopolitisme juridique.* Paris: Pedone, 2015, p. 207-222.

os movimentos globais em favor da efetiva atuação de instituições que façam a defesa dos direitos humanos, como é o caso das Cortes regionais.

Entretanto, para sair da dimensão ideal e considerar a realidade, iluminada pela força das coisas, é preciso identificar os parâmetros de atuação das instituições que já existem. Seguramente, a criação de instituições ou a sua reforma devem estar fundadas em um horizonte de sentido por meio do qual se objetive dar um maior lugar à participação dos cidadãos no âmbito de cada uma das esferas que formam a cadeia de interações mundializadas.

Os teóricos da democracia cosmopolita identificam na criação de parlamentos regionais, referendos supranacionais, fóruns democráticos, recursos aos especialistas, criação de uma corte mundial de direitos humanos, melhoria das representações da sociedade civil e, quiçá, um parlamento mundial, algumas das possíveis manifestações institucionais que conformariam o cosmopolitismo jurídico. Mas há que se ver, também, o estado da questão da atuação de instituições centrais do sistema onusiano, como a OMS, a UNESCO, a OIT, entre outras, na luta pela defesa dos direitos humanos que lhes cabe proteger e, em cujo contexto, as condições de cooperação devem cada vez mais ser melhoradas e intensificadas. Meios institucionais e processuais já existentes têm dado uma relevante contribuição para a consolidação do cosmopolitismo jurídico como é o caso dos diálogos entre os juízes[268] e da prática da justiça universal,[269] ambas as práticas representativas do que Marcelo Neves denomina de conversação constitucional.[270] Nesse sentido, os processos internacionais de direitos humanos que estão sob a competência das Cortes regionais de direitos humanos, como a europeia, a latino-americana e a africana, nos permitem mensurar a dimensão da reivindicação dessas jurisdições para resolver problemas que

[268] Sobre esse tema consultar: ALLARD, Julie. GARAPON, Antoine. *Os juízes na mundialização. A nova revolução do direito.* Lisboa: Piaget. Ver também: VERGOTTINI, Giuseppe de. Au-delá du dialogue entre les juges. Juges, droit étranger, comparaison. Paris: Dalloz, 2013. BREYER, Stephen. *La Cour suprême, le droit américain et le monde.* Paris: Odile Jacob, 2015. Nos permitimos citar de igual modo: SALDANHA, Jânia. VIEIRA, Lucas P. *Diálogos transjurisdicionales y reenvio prejudicial interamericano.* México: Porruá, 2015.

[269] Uma análise completa sobre o tema pode ser encontrada na bela dissertação de mestrado de MELLO, Rafaela. *Princípio da jurisdição universal: a deslocalização judiciária entre o dever ser cosmopolita e a realidade da cosmopolitização.* Disponível em: http://coral.ufsm.br/ppgd/index.php/2-uncategorised/533-dissertacoes-2017.

[270] NEVES, Marcelo. *Transconstitucionalismo.* São Paulo: Martins Fontes, 2009, p. XXV.

dizem respeito "às objeções locais à implementação universal dos direitos humanos".[271]

Ao analisar a ideia kantiana de paz perpétua duzentos anos depois, Habermas[272] diz que Kant não pôde mesmo prever que o capitalismo iria resultar numa luta entre classes sociais que resultaria na ameaça da paz, tampouco que empresas transnacionais e bancos privados esvaziariam a soberania dos Estados, e que a transparência da opinião pública global estaria visível em seu todo em razão dos meios eletrônicos de comunicação. Esses elementos somados a outros, então, conduzem inevitavelmente à reformulação da ideia kantiana, uma vez que a situação mundial se transformou por completo. Essa, segundo Habermas, não é na verdade uma tarefa difícil porque as ideias de Kant não restaram congeladas. Ao contrário, elas foram apropriadas pela política desde a fundação da Liga das Nações em 1919 e a partir de 1945 ganharam forma mais concreta com a criação da ONU e de suas instituições. Assim, a revisão conceitual da proposição kantiana passa, inicialmente, por uma reinterpretação da soberania externa dos Estados em face do caráter profundamente modificado das relações internacionais em relação ao final do século XVIII. E, nesse sentido, o conceito kantiano de união dos povos firmada de maneira duradoura,[273] cede lugar ao direito cosmopolita que pressupõe, necessariamente, a institucionalização global que vincule os Estados e, como já tratado, a reforma da ONU e das instituições capazes de atuar em nível supranacional.[274]

Com efeito, a institucionalização global deve ser vista como decorrência da conformação da identidade política comum fundada nos direitos humanos, cujo maior emblema é a Declaração Universal de Direitos Humanos. A aplicação dos direitos humanos e sua institucionalização em escala mundial é, induvidosamente, um projeto teórico extremamente forte e que faz com que a universalização perca seu caráter utópico. Na sociedade política que

---

[271] RAMOS, André de Carvalho. *Teoria geral dos direitos humanos na ordem internacional.* 6. ed. São Paulo: Saraiva, 2016, p. 229. Também em: RAMOS, André de Carvalho. *Processo internacional de direitos humanos. Análise dos sistemas de apuração de violações dos direitos humanos e a implementação das decisões no Brasil.* Rio de Janeiro/São Paulo: Renovar, 2002.

[272] HABERMAS, J. *A inclusão do outro. Estudos de teoria política. São Paulo: Loyola, 2002,* p. 194-201, 209-211.

[273] Como fazem supor os seis artigos preliminares da obra À paz perpétua. In: KANT, I. *À paz perpétua,* op. cit.

[274] Do lado da ONU Habermas, na esteira de Archibugi, propõe que a Assembleia Geral crie um congresso permanente de Estados, no âmbito da Corte Internacional de Justiça preconiza o aumento das competências deste tribunal, como já previra Kelsen e, da parte do Conselho de Segurança, deve retratar as relações efetivas de poder no âmbito internacional.

podemos chamar de cosmopolita, os direitos humanos têm assumido, cada vez mais, um papel político e jurídico constitutivo da identidade política comum. Em virtude disso, o mundo ocidental não tem a pretendida centralidade dos direitos humanos. A sua descentralização da matriz europeia passou a fazer parte da agenda global diante da sua adoção para todos, assumindo, inexoravelmente, a linguagem da universalidade, seja na África, na América Latina e na Ásia. É certo que as civilizações não ocidentais devem, então, apropriar-se do conteúdo universalista dos direitos humanos a partir de suas fontes e de suas experiências.

Enfim, a institucionalização cosmopolita dos direitos humanos deriva, minimamente, de duas razões. A primeira da elevação do indivíduo a sujeito do direito internacional, como foi reconhecido no campo do direito penal internacional. A segunda, pela existência de uma Constituição mundial, produto da soma da Declaração Universal de Direitos Humanos e dos Pactos da ONU de direitos civis e políticos e de direitos econômicos, sociais e culturais, ambos de 1966.

Se as dificuldades para implementar tais proposições são conhecidas e devem ser levadas a sério, deve-se lembrar que quando se trata do tema da institucionalização, duas dimensões a ela relacionadas devem ser consideradas. A primeira é a de que as instituições político-jurídicas herdadas do modelo clássico dos Estados e que existem em nível internacional são instituições de natureza intergovernamental ou interestatais.[275] São os Estados que as criam e, por essa razão, têm poder de intervenção e de decisão. Mas os teóricos da democracia cosmopolita mencionam um segundo tipo de instituições que deverá estar articulado com as primeiras. São as instituições cosmopolitas baseadas na igualdade entre os cidadãos e que estariam destinadas a fazer o contraponto ao poder dos Estados e a tratar de temas que concernem a todos os habitantes do planeta, desvinculadas do *status* territorial de origem dos cidadãos. Um bom exemplo do impacto de atuação de tais instituições para além das já muito conhecidas como a Anistia Internacional e a Transparência internacional, é a *Global Society*,[276] promotora do "Movimento 3.0".

---

[275] LOURME, Louis. L'usage des frontières d`un point de vue cosmopolitique. *Revue internationale d'étique sociétale et gouvernamentale*, op.cit., p. 7.

[276] Disponível: http://www.globalsociety.ch/fr/je-rejoins-le-combat/.

Trata-se, assim, de uma "bi-institucionalização"[277] da esfera pós-nacional, tal como assim a denominam Archibugi e Held, o que nada mais representa do que a tentativa de ordenar o pluralismo institucional, quanto também corresponde à organização da estratificação institucional de fato com o objetivo de democratizar e abrir espaço participativo aos indivíduos e grupos seja qual for a fronteira a que estejam vinculados pela simples razão de que as decisões políticas lhes correspondem.

É urgente, então, que para problemas cosmopolíticos existam instituições cosmopolitas tendo por base muito mais os movimentos da mundialização e menos os modelos adequados a outra época. A concepção de espaço público cosmopolita, pode contribuir para balizar a emergência dessas instituições

3.2. Espaços públicos cosmopolitas: dos conceitos aos processos

As dimensões jurídico-políticas do cosmopolitismo não podem estar dissociadas da ideia de democracia. Se os vínculos nacionais se mantêm, por outro lado as questões de natureza global que envolvem a todos os humanos são inexoráveis. Assim, a concepção habermasiana de mundo finito torna imperativo que se pense em termos de espaços públicos cosmopolitas democráticos, distintos dos já conhecidos espaços públicos nacionais.

Foi por ocasião da celebração dos 200 anos da obra *À Paz Perpétua*, de Kant, e, quase ao mesmo tempo, em razão da intervenção da OTAN em Kosovo em 1999 que a ideia de espaço público tomou forma no pensamento habermasiano ao defender que dita intervenção derivou da vontade da comunidade de povos numa evidente demonstração de que havia chegado a hora de o direito das gentes ser substituído por um direito cosmopolítico[278] que regesse não mais as relações entre os Estados e sim as relações entre os cidadãos do mundo.[279]

Em Habermas, a noção de espaço público é uma condição necessária à democratização do Estado. A questão que logo é apresentada por esse autor é se em caso de alargar-se a concepção de

---

[277] LOURME, Louis. L`usage des frontières d`un point de vue cosmopolitique. *Revue internationale d`étique sociétale et gouvernamentale*, op. cit., p. 8.

[278] HABERMAS, J. *De l`usage public des idées.* Paris: Fayard, 2005, p. 203.

[279] Id., p. 205.

sociedade, seria possível conceber um espaço público mundial? Ao responder que sim, a noção de espaço habermasiana é descolada totalmente de qualquer ligação a um espaço determinado. É a partir desta visão que Habermas constrói sua importante crítica à concepção de grandes espaços defendida por Carl Schmitt, para quem o direito é a unidade da ordem e da localização[280] posição essa que o tornou um dos grandes inimigos do cosmopolitismo que ele considerava antipolítico, burguês e abstrato.

Portanto, em Habermas, o espaço trata-se apenas de uma metáfora, como lembrou Valéry Pratt.[281] É, assim, um princípio importante porque põe em contato indivíduos que têm vontade de discutir seu destino comum, desimportando sua ligação com os espaços territoriais nacionais. O indivíduo de Habermas não é um apátrida, mas ele não precisa de um pedaço de terra para se animar. Assim, o espaço público é menos uma instituição determinada e mais uma "rede comunicacional" onde os indivíduos passam de sujeitos a atores que interagem para trocar opiniões sobre problemas comuns e coletivos, então de ordem cosmopolita. Trata-se de saber, segundo Habermas, em que o mundo pode ser uma "coisa pública" ou uma "coisa comum". Daí a necessidade de pensar-se o espaço público como um princípio que institui um "contexto" no qual há a coordenação de ações, por meio de uma linguagem – formando um "espaço público das razões"[282] – familiar aos envolvidos e, por isso mesmo, capaz de construir um espaço público transnacional, quiçá, supranacional, para que seja cosmopolita no verdadeiro sentido do termo.

Com efeito, o pensamento de Habermas evoluiu de uma compreensão de esfera pública limitada à participação burguesa para a de esfera pública coincidente com a figura de rede onde ocorre a comunicação de conteúdos, opiniões e decisões. Tal rede é complexa e transcende os espaços nacionais na forma de ramificações internacionais, regionais e locais que interagem, do que o maior exemplo é a União Europeia, cujas democracias, segundo ele, sofreram um

---

[280] SCHMITT, Carl. *Le nomos de la terre*. Paris: Puf, 2012. Também em: PASQUIER, Emmanuel. "Carl Schmitt et la circonscription de la guerre: Le problème de la mesure dans la doctrine des "grands espaces". *Études internationales* 401, 2009, p. 55–72. *O conceito do político. Teoria do Partisan*. Belo Horizonte: Del Rey, 2008, p. 233-234.

[281] PRATT, Valéry. Grand espace versus espace public mondial. In: FROUVILLE, Olivier de. *Le cosmopolitisme juridique*. Paris: Pedone, 2015, p. 139-170.

[282] HABERMAS, J. Fondamentalisme et terreur (Entretien). *In:* HABERMAS, J. *Une époque de transitions – Écrits politiques 1998-2003*. Paris: Fayard, 2005, p. 374.

alargamento da base da solidariedade[283] cívica limitada até então aos Estados-Nação e, depois, estendida a todos os cidadãos do espaço integrado europeu. Mesmo que distintos os interesses, os níveis e as formas de organização dos diferentes grupos, eles podem interagir e dialogar de maneira sincronizada nos espaços públicos nacionais colocados em rede na escala da União Europeia por estarem hoje conectados através dos meios de comunicação de massa, como a internet.

Mas se esse é um ideal a ser conquistado até os dias atuais, longe está de ser concretizado da forma satisfatória. Seguramente os acontecimentos mais recentes relacionados aos fluxos migratórios parecem confirmar a desconfiança de Jeremy Rikfin[284] de que o "sonho europeu" enfrentaria como desafio a descoberta de um cimento ainda mais forte do que aquele que sempre manteve a fidelidade nacional e territorial, e esse cimento seria a empatia que, segundo ele e, aqui alia-se a Habermas, é "a expressão definitiva da comunicação entre os seres".

Vê-se, então, que a noção de esfera pública alarga-se para além dos limites territoriais e culturais dos Estados europeus, traçando o desenho da cosmopolitização da Europa e a transnacionalização dos espaços públicos nacionais. Esse estado de coisas é especialmente visível, segundo Habermas,[285] no fenômeno já referido anteriormente, ou seja, na constitucionalização do direito internacional que significa a complementaridade dos poderes nacionais pelo trabalho de uma rede de organizações internacionais que promovem a expansão dos direitos humanos e a governança global para além dos Estados nacionais. Bem se vê, assim, que na sociedade internacional marcada pela elevada permeabilidade multinível e pela interdependência a consequência visível é que mesmo as grandes potências político-econômicas perdem sua autonomia funcional em importantes domínios de sua atuação.

Como ninguém mais escapa do experimento de problemas comuns, a adoção de políticas comuns e de cooperação torna-se imperativa. É essa interdependência que modela e explica o aparecimento de organizações internacionais com competência regional onda a pauta democrática deve estar presente. Esse fenômeno corresponde à assimilação progressiva da política estrangeira clássica

[283] HABERMAS, J. *Une époque de transitions – Écrits politiques, id.*, p. 147-149.

[284] RIFKIN, Jeremy. *O sonho europeu. Como a visão europeia do futuro vem eclipsando silenciosamente o sonho americano.* São Paulo: MBooks, 2005, p. 245 e 250.

[285] HABERMAS, J. *Plea for a constitutionalization of international law...*, op. cit.

às formas da política no interior do Estado-Nação, o que faz com que o tradicional centro do poder político se decomponha, se abra e se entrecruze com as malhas de comunicação, de negociações e de discursos transnacionais.

No mesmo sentido, ao tratar do espaço público europeu, Jean--Marc Ferry[286] coloca que a preocupação da Europa não é mais a paz perpétua, e sim a mundialização, especialmente em razão da substituição do político pela economia e que uma das soluções para o descompasso entre a política e a economia naquele espaço integrado é deflagrar um *continuum* participativo em todos os níveis, local, regional, nacional e metanacional de deliberação democrática e de decisão política.

Nesse contexto de análise, o enorme desafio é o de criar mecanismos participativos adaptados a uma realidade pós-nacional. As três últimas teses apresentadas por Ferry são decisivas porque reúnem as várias dimensões em que a cidadania pode expressar-se como: a) um parlamento europeu capaz de ser representativo dos parlamentos nacionais, regionais e locais; b) ao lado desta representação política esse parlamento poderia representar os interesses econômicos, sociais e culturais; c) ao lado da estruturação parlamentar deveria existir uma estruturação da mídia, numa espécie de constitucionalização através de uma Carta europeia do audiovisual a fim de permitir para garantir a responsabilidade cívica da informação e cultural da formação. Sem dúvida que as sugestões são extremamente pertinentes mas, ainda incompletas porque restringe a participação política exclusivamente à institucionalização.

Com efeito, tão difícil de implementar quanto de conceituar, a noção de espaço público, ainda restrito ao plano europeu, foi também invocada por Habermas e Derrida em 15 de fevereiro de 2003,[287] quando pessoas de diversos países da Europa foram às ruas de Barcelona, Berlim, Londres, Madri, Paris e Roma contra a proposta de apoio a Busch feita pelo governo espanhol relativa à guerra no Iraque. Nesse texto, Habermas e Derrida foram enfáticos ao afirmar que a Europa não poderia curvar-se à vontade da potência americana, quanto também não deveria ser ingênua na manutenção de

[286] FERRY, Jean-Marc. Dix thèsis sur la question de l`État européen. *Droit et societé*, n. 53, 2003/1, p. 15-16.

[287] Habermas publicou um texto juntamente com Jacques Derrida no contexto de uma publicação conjunta de vários autores europeus como Adolf Mushg, Fernando Savater, Gianni Vattimo e Umberto Eco consagrados à cultura europeia. Trata-se de: HABERMAS, J. DERRIDA, J. O dia 15 de fevereiro ou que une os europeus. *In:* HABERMAS, J. *O ocidente dividido*, op. cit., parte II, p. 43-52.

políticas "tolas e caras" situadas entre a guerra e a paz. As decisões relativas à política externa que tivessem grandes repercussões só deveriam ser tomadas depois da aceitação das minorias solidárias, o que pressuporia, evidentemente, o sentimento de pertencimento político, a consciência de um "destino político comum" e a expertise para governar para além do Estado nacional.[288]

É preciso considerar também que o espaço público ou esfera pública não possui uma conformação normativa consolidada. Tornou-se, então, um campo de batalha que agasalha as opiniões de origens as mais diversas, como os movimentos sociais, intelectuais, autoridades, grupos de interesses, das igrejas, etc. Isso a faz sempre aberta e permeável a acolher os assuntos mais diversos que tenham interesse geral e significado político como democracia, representatividade política, direitos humanos, transparência nos assuntos públicos, corrupção, desemprego e vulnerabilidade, entre outros. Possui também enormes fragilidades. O *deficit* democrático ainda existente nas tomadas de decisões que abrangem questões de dimensões pós-nacionais encontra sua maior causa nos níveis débeis de transparência, acessibilidade e responsabilidade de muitas instituições internacionais.[289]

De um tempo em que a esfera pública era vista como um agrupamento de indivíduos que formava o público, percebe-se hoje ser formada por grupos auto-organizados que apresentam não apenas demandas particulares vinculadas aos seus interesses, mas também demandas mais gerais que têm origem no sentimento de solidariedade, do que o exemplo maior é o Fórum Social Mundial,[290] modelo de democracia participativa que, depois da cidade de Porto Alegre, espalhou-se para mais de duas centenas de cidades ao redor do mundo.

Esses problemas ganharam fórum global e, portanto, as expressões da esfera pública passaram a ser também mundializadas. A repercussão desses movimentos mundializados, em termos de respostas, enfrentam o enorme desafio de que elas sejam também apresentadas na mesma dimensão, o que pressupõe estarem as instituições globais conectadas e abertas a tais movimentos.

---

[288] HABERMAS, J. *O ocidente dividido*, op. cit., parte II, p. 46-49.

[289] HABERMAS, J. *Ay, Europa*. Madrid: Trotta, 2009, p. 181.

[290] SINTOMER, Yves. HERSBERG, Carsten. ROCKE, Anja. Modelos transnacionais de participação cidadã: o caso do orçamento participativo. *Sociologias*. vol.14 no.30 Porto Alegre May/Aug. 2012. Disponível em: http://www.scielo.br/scielo.php?script=sci_arttext&pid=S1517-45222012000200004.

Um dos temas atuais da mundialização, situados entre os mais sérios e desafiadores ante sua complexidade, é o da responsabilidade social das empresas transnacionais (RSE). Para pôr fim à impunidade desses entes por violação de direitos humanos, muitas vezes de espectro massivo, há um movimento global que envolve a ONU, Estados e atores cívicos internacionais, regionais e nacionais, o qual tem contribuído enormemente para a criação de um documento global destinado a traçar um quadro de responsabilidade. As leis nacionais são débeis para fazer face às empresas transnacionais que realizam atividades econômicas para além das fronteiras dos Estados onde detêm sua sede. Em boa parte dos casos, a fim de escapar das leis nacionais, tais empresas atuam por meio de empresas intermediárias. Ademais, um grande número de Estados é, do ponto de vista econômico e político, impotente frente a tais empresas, mais ricas e mais pujantes do que eles, cujos interesses são invariavelmente protegidos por tratados de investimentos em nível internacional.

Há, assim, uma campanha mundial para desmantelar o poder das transnacionais que têm à frente ONGs defensoras dos direitos humanos como o CETIM[291] e que estão firmemente envolvidas na redação do tratado internacional destinado a limitar e a impor obrigações a tais empresas. Nesse sentido, a chamada virtual[292] para o encontro do Grupo de trabalho intergovernamental da ONU para as empresas transnacionais, do ano de 2016, realizado em Genebra, contou com a adesão de mais de 200 entidades internacionais, regionais e nacionais. Para o encontro do ano de 2017, esse coletivo de entidades propõe à ONU mais seis proposições[293] relativas: a) às obrigações extraterritoriais; b) às obrigações das sociedades transnacionais; c) à criação de um tribunal internacional sobre sociedades transnacionais e direitos humanos; d) à responsabilidade solidária; e) à financeirização e; f) aos direitos das vítimas. Embora os atores cívicos envolvidos nessa campanha sejam originários dos cinco continentes, as seis proposições indicam o uso da linguagem das normas cosmopolitas como resultado da jusgenerratividade decorrente das iterações democráticas que envolvem discussão, deliberação e intercâmbio públicos por meio dos quais as reivindicações de direitos universais como o respeito à dignidade e à

[291] Disponível em: http://www.cetim.ch/stop-a-limpunite-des-stn/.

[292] Disponível em: http://www.stopcorporateimpunity.org/wp-content/uploads/2016/08/Campaign_Brochure_may2016EN.pdf.

[293] Disponível em: http://www.cetim.ch/nouvelles-declarations-lonu/.

integridade física dos trabalhadores, bem como ao meio ambiente, são contextualizadas e invocadas perante uma instituição pública e global como a ONU.

Por outro lado, indaga-se se a internet pode, então, ser considerada um espaço público cosmopolita? Talvez seja mais factível responder afirmativamente do que defender a ideia de um parlamento mundial ou de um governo mundial, ambos mais afinados com uma espécie de "cosmopolitismo lírico"[294] que ignora os amplos *deficits* democráticos que ainda animam inúmeras instituições ou organizações internacionais.

O senso profundo de realidade pode ser, nesse caso, um bom mestre. É preciso, pois, conectar o cosmopolitismo jurídico com a questão das instituições e organizações que seriam as mais indicadas para realizar seu objetivo e quais tipos de reformas institucionais seriam as mais convenientes para associá-las ao ideal cosmopolítico.[295]

À falta de uma dimensão normativa para a esfera pública global representada pelas expressões de grupos de interesses ou de movimentos sociais, é apropriado dar-se atenção a Sthèphane Chauvier[296] quando afirma ser o cosmopolitismo institucional uma engenharia de instituições destinadas a cosmopolitizar a vida dos homens e a considerar que embora os indivíduos estejam situados em lugares distintos e sejam unidos por diferentes culturas e línguas, há o reconhecimento de que as violações a certos bens sociais de valor ou de interesse universal dizem respeito a todos.

Com isso é de todo recomendável que a atuação de inúmeras organizações internacionais em distintas áreas, como a OIT no âmbito do trabalho, a UNESCO, no campo da educação, a OMS no domínio da saúde, o ACNUR, para os refugiados, podem ser consideradas como instância de serviços destinados à comunidade internacional que dispõem de mecanismos decisórios de participação coletiva como as Conferências gerais. Se ainda cabe massivamente aos Estados a palavra nesses distintos domínios, a via não está fechada ao aprimoramento participativo e democrático de grupos, categorias ou dos *stakeholders* diretamente atingidos pelas decisões dessas organizações.

---

[294] DUPUY, Pierre. *Actualité du cosmopolitisme juridique: revenir à Kant pour mieux le dépasser?* op. cit., p. 440.

[295] CHAUVIER, Stéphane. Le cosmopolitisme institutionnel n`est-il qu`une aimable utopie? In: FROUVILLE, Olivier de. *Le cosmopolitisme juridique*, op. cit., p. 207-209.

[296] Id., p. 209.

Ora, se o cosmopolitismo moral, como visto, não é suficiente para responder aos apelos da cosmopolitização, e o cosmopolitismo jurídico é o pressuposto prático para concretizar o partilhamento efetivo de certos bens sociais ou de interesse universal, faz-se necessário atentar para as reais condições de possibilidade de colocar em prática uma efetiva cooperação internacional, regida pelo direito.

Assim, somente um Estado aberto será capaz de tornar-se o maior defensor do cosmopolitismo jurídico. O pressuposto para a proteção do estado de direito, dos direitos humanos e da democracia é o reconhecimento da insuficiência do espaço estatal em dar as respostas reivindicadas pela mundialização. Nesse sentido, se não se refuta o Estado como o espaço público primordial, por outro lado, se requer que ele seja aberto às normas e instituições internacionais para não apenas dar a maior proteção possível aos indivíduos e grupos, quanto para colaborar, de maneira decisiva e central, para a construção do direito cosmopolítico. A preocupação com a permeabilidade do ente estatal ao internacional e à construção do comum, então em defesa do estado aberto, também foi feita por Armin Von Bogdandy[297] ao propor a construção de um *ius constitutionale commune latino-americanum.*

Com efeito, são os Estados nacionais que agasalham em seu interior cidadãos de diferentes culturas, línguas, religiões e tradições. Os intensos fluxos migratórios em direção aos países do ocidente colocam como problema central a diferença quanto ao exercício de direitos entre os não nacionais e os nacionais, fator esse que tem elevado enormemente as tensões internas e deflagrado verdadeira onda de manifestações conservadoras ao que se soma a elaboração de normatividade que tem transformado profundamente o direito penal e o direito processual penal em demérito da democracia.

Ora, os Estados defensores da democracia cosmopolita devem fazer um grande esforço para reduzir essas tensões a fim de aproximar os não nacionais em direitos e deveres aos nacionais. Essa atitude pressupõe que o cosmopolitismo jurídico deva ser compreendido como um conjunto de valores e práticas suscetíveis de serem aplicados por todas as instituições políticas, pelo Estado ele próprio, com o apoio das instituições internacionais por meio de normas progressistas. Além disso, os Estados podem encorajar

[297] BOGDANDY, Armin Von. Ius constitutionale commune latinoamericanum. Una aclaración conceptual. *In:* BOGDANDY, Armin Von et. all. *Ius constitutionale commune en América latina, rasgos, potencialidads y desafíos.* México/Heidelbeg: UNAM/Max Planck, 2014, p. 9. Disponível em: http://www.corteidh.or.cr/tablas/r32345.pdf.

muitas instituições a obter mais independência na gestão dos problemas mundializados, com vistas a promoverem a interconexão entre os problemas locais e os problemas globais do que são exemplo a União Interparlamentar[298] e a UCLG – *Cités et Gouvernements Locaux Unis*.[299]

O cosmopolitismo jurídico que tenha por base a democracia cosmopolita exige, ainda, que as políticas exteriores desses Estados estejam fundadas na solidariedade entre diversas forças democráticas que devem ser dotadas de legitimidade para lutar contra governantes autoritários. Tal empreitada não se realiza sem fortes resistências. A principal delas corresponde à desconfiança da boa vontade vinda de Estados tradicionalmente autores de intervenções humanitárias que a despeito de proteger direitos humanos, o que fazem é violá-los. Por essa razão é que os auspícios à democracia, às associações transnacionais e aos projetos de cooperação em favor da paz ainda são acentuadamente débeis. Um quadro normativo em movimento e permeável à jusgeneratividade é o pressuposto mais radical para a consolidação do cosmopolitismo jurídico no século XXI.

3.3. As normas cosmopolitas e a jusgeneratividade

Se a existência dos espaços públicos cosmopolitas evidencia que os inúmeros problemas globais não podem encontrar respostas na dimensão da atuação nacional e, assim, devem eles contar com a intervenção da comunidade humana para além das fronteiras, o reconhecimento da dimensão cosmopolita a determinadas normas é pressuposto para a proteção dos direitos na esfera global, independentemente da vinculação dos indivíduos ao território ou a qualquer conformação nacional.

A transição das normas internacionais, então reguladoras das obrigações contraídas pelos Estados em suas relações recíprocas, para as normas cosmopolitas, significou que o "direito a ter direitos", de que falou Hannah Arendt,[300] corresponde a todos os indivíduos, enquanto pessoas morais e legais da comunidade humana. O amplo conjunto de tratados e convenções internacionais assinados pelos Estados comprova a autolimitação que esses entes impuse-

---

[298] Disponível em: http://www.ipu.org/french/home.htm.

[299] Disponível em: https://www.uclg.org/fr.

[300] ARENDT, Hannah. *Origens do totalitarismo. Anti-semitismo, Imperialismo totalitário*, op. cit. p. 330.

ram a si mesmos, ainda que muitas vezes contra os seus interesses e suas práticas políticas. Esse conjunto normativo, tão criticado pelos soberanistas democráticos como Thomas Nagel[301] e Michael Sandel,[302] por acreditarem que a estrutura do Estado-Nação é a única a dar respostas em questões de justiça porque não há um imperativo maior do que o nacional que seja capaz de nos colocar em compromisso com aqueles que estão longe de nós, deve ser defendido justamente porque se concentra na proteção dos direitos humanos e porque é dotado de "jusgeneratividade".

Seyla Benhabib[303] toma emprestado essa expressão da obra de Robert Cover e a explica, dizendo que a "jurisgeneratividade" consiste na capacidade de a lei criar um universo normativo de significados que muitas vezes pode escapar da "proveniência da legislação formal". Nesse sentido, a hermenêutica filosófica poderia em muito contribuir para a compreensão das normas cosmopolitas e sua aplicação para reger situações que escapam ao ambiente doméstico dos Estados. Entretanto, em face das críticas vindas dos soberanistas democráticos de que o direito internacional e também o direito cosmopolítico não passam de instrumentos neocoloniais de dominação mundial, com o qual evidentemente não concordamos é, no entanto, preciso levar a sério sua crítica de que a questão da legitimidade democrática ainda não está respondida na esfera global.

Assim, é preciso entender a partir da teoria da jurisgeneratividade que as normas cosmopolitas surgem sempre em contextos culturais localizados. A interpretação da lei, segundo Benhabib, transcende a significados fixos. Ela pode estruturar um universo normativo extralegal ou além das fronteiras a partir de novos vocabulários destinados a dar respostas a novas reivindicações públicas, dando espaço a novos atores, a novas formas de postular direitos e a novas subjetividades que se manifestam na esfera pública para limitar os poderes e antecipar justiça global.

Desse modo, a lei antecipa formas de justiça no futuro e, por isso, não é apenas coerção, controle e dominação que tomam a forma

[301] NAGEL, Thomas. The problem of global justice. *Philosophy & Public Affairs*, vol. 33, n. 2, 2005, p. 119.

[302] SANDEL, Michael. La république procédurale et le moi désengagé". In A. Berten, P. da Silveira et H. Pourtois (Dir.). *Libéraux et communautariens*, Paris, PUF, coll. "Philosophie morale", 1997, p. 255-275.

[303] BENHABIB, Seyla. *Claiming rights across borders: international human rights and democratic sovereignty*, op. cit. p. 695-696.

de neocolonialismos. Robert Cover[304] auxilia na medida em que ao tratar do *nomos* diz que há normas que não prescindem do Estado, uma vez que a criação do significado jurídico – a *jurisgênese* – acontece sempre em um ambiente cultural ou, como disse Glissant,[305] sempre em relação.

O processo criativo, desse ponto de vista, é sempre social e coletivo. Tem-se, assim, o caráter descontrolado[306] do significado que resta por desestabilizar o poder justamente porque os preceitos jurídicos, se possuem um significado inicial, retiram imensas influências das esferas sociais onde estão destinados a ser aplicados. Nesse sentido, as normas internacionais de direitos humanos destinadas, então, a compor o quadro das normas cosmopolitas, têm a potencialidade de gerar como efeito o empoderamento da comunidade humana em termos de reivindicações por meio de novos vocabulários, pela abertura de novos canais de mobilização humana, quanto pela formação de redes globais destinadas a agir contra-hegemonicamente, como se vê no movimento as mulheres, dos indígenas, dos LGBT, entre outros. Nesse sentido, os constitucionalistas globais como Archibugi, Beck, Habermas, Held, entre outros, devem considerar, como de fato alguns consideram, que a hermenêutica das normas globais está mediada pela vontade dos povos democráticos e pela formação da comunidade humana global.

A pergunta "O futuro pertencerá às redes de relações?", formulada por Bertrand Badie,[307] é bem-vinda na medida em que pode ser respondida com exemplos concretos de atuação de atores cívicos globais, organizados em redes de relações cuja atuação e impacto nas decisões globais e locais, comprova ser o cosmopolitismo um projeto filosófico-político-jurídico de mediações, e não de totalizações ou reduções. Badie[308] lembra que as redes religiosas evangéli-

---

[304] COVER, Robert. Nomos e narração. *Revista Internacional de Direito e Literatura.* Vol. 2. n. 2, 2016. Disponível em: http://seer.rdl.org.br/index.php/anamps/article/view/29.

[305] A ideia de relação para Glissant está ao centro das trocas multiculturais e é a única via possível para viabilizar essas trocas. GLISSANT, Edouard. *Poétique de la relation.* Paris: Gallimard, 1990, p. 231. Ele também considerava a existência, no mundo, de duas formas de pensamento: o pensamento continental e o pensamento arquipélago. O primeiro ele nomeava como "pensamento sistema" que organizava, estudava e projetava as repercussões lentas e insensíveis entre as línguas, razão pela qual "encobria as culturas". Por outro lado, o pensamento arquipélago, para ele, era mais sensível, não sistêmico e mais intuitivo e afinado com a sua poética da "criolização". GLISSANT, Edouard. *Introduction a une poètique du divers.* Paris: Gallimard, 1996, p. 34.

[306] Id., p. 19.

[307] BADIE, Bertrand. *O fim dos territórios. Ensaio sobre a desordem internacional e sobre a utilidade social do desrespeito.* Lisboa: Piaget, 1996.

[308] Op., cit., p. 267-282.

cas, islâmicas, étnicas ou pan-nacionais, bem como a proliferação de todo o gênero de redes informais africanas de cooperação, assim como as do leste europeu que permitiram a reconciliação entre sérvios e croatas, os mecanismos microrreguladores que transparecem da solidariedade entre os migrantes, a multiplicação sem precedentes das ONGs humanitárias, evidenciam a imensa densidade de atuação desses atores cívicos na dimensão micro e macrocomunitária e o impacto de suas numerosas funções no âmbito da política mundial. O papel recente desempenhado por esses atores no Acordo de Paris sobre o clima é o testemunho de sua forçosa influência na formação das normas cosmopolitas. Trata-se de um efeito paradoxal da desterritorialização do planeta, na medida em que a crise de territorialidade transforma os dados da solidariedade planetária.

Com isso, as normas de direitos humanos não podem ser cooptadas apenas pela hermenêutica das elites jurídicas e econômicas nacionais e globais. Devem, conforme Benhabib, tornar-se elementos de cultura pública nas democracias contemporâneas por meio da atividade de interpretação, atualização e interação dessas sociedades.

Assim, o temor dos soberanistas democráticos de que as normas cosmopolitas de direitos humanos estariam acima da legislação "democrática" do Estado-Nação não encontra respaldo na realidade, uma vez que tais normas são profundamente dependentes da vontade democrática e do Estado de Direito. E as normas cosmopolitas são, então, inexoravelmente, significadas pela comunidade humana em que estão inseridas pois no complexo *nomos* de Robert Cover,[309] é justamente do conjunto das bases da comunidade jurídica, das obrigações, da realidade e das visões de cada momento histórico-social que o significado jurídico decorre. Trata-se de uma apropriação feita pelas iterações democráticas da comunidade humana, as quais, muito longe de meras idealizações, constituem-se em dinâmicas muito presentes na mundialização que se apresentam na forma de processos de discussão, de deliberação e de intercâmbio públicos por meio dos quais os direitos universais são colocados em pauta por instituições jurídico-políticas, quanto pelos atores civis.

Essas iterações produzem um efeito importante no que diz respeito à interpretação das leis cosmopolitas na medida em que renovam e reconstroem constantemente o significado das mesmas o

---

[309] COVER, Robert. Nomos e narração. *Revista Internacional de Direito e Literatura, op. cit.*, p. 79.

que, à primeira vista, parece mera repetição para, evidenciar na sequência, que a interpretação a isso não se resume. Ao contrário, as iterações sempre produzem um sentido novo, melhorado e transformado, em relação ao original o qual pode ser, amiúde, autoritário.[310]

Escapar dos sempre possíveis níveis de baixa legitimidade ou de fraca democracia é o desafio lançado sobre as iterações. Contudo, a saída está na criação de canais institucionais de comunicação, pelas próprias sociedades, por meio dos quais os indivíduos na condição de entes morais e legais, antes de cidadãos de um determinado território ou não, podem participar e determinar a formação de leis que irão reger a vida em comum. Por isso, para Seyla Benhabib,[311] as normas de direitos humanos tomam corpo e forma no âmbito das iterações democráticas.

As práticas de grupos ao redor do globo comprovam a força e os resultados positivos para a afirmação dos direitos humanos na dinâmica jusgenerativa. Normas de direitos humanos cosmopolitas aplicadas em diferentes contextos e adaptadas aos mesmos mostraram o quanto seu uso fortalece a soberania popular e reforça as democracias dos Estados ao invés de enfraquecê-las. Esse fenômeno é visível nas experiências relacionadas às questões ambientais e experimentadas por pequenos agricultores e pequenos empresários, os primeiros reunidos em cooperativas ou nas lutas campesinas, e, os segundos praticando modelos produtivos inovadores,[312]para reduzir a fome, a vulnerabilidade no campo e a exclusão social, que impactam e dão concretude às normas globais e nacionais protetivas do meio ambiente e do desenvolvimento. O movimento zapatista mexicano dos anos 90 do século passado chamou para si a atenção mundial, mobilizou o poder nacional e consistiu no primeiro movimento guerrilheiro informacional, como refere Ulrich Beck,[313] na leitura do qual tais movimentos inicialmente locais, provocam "ecoefeitos" globais como, por exemplo, a emergência da solidariedade cosmopolita.

---

[310] BENHABIB, Seyla. *Claiming rights across borders: international human rights and democratic sovereignty, op. cit.* p. 697-698.

[311] Id.

[312] Informação extraída do site do Forum Econômico Mundial. Disponível em: https://www.weforum.org/es/agenda/2017/03/un-metodo-para-reducir-la-pobreza-tan-sencillo-que-podria-funcionar/.

[313] BECK, Ulrich. *Um nuevo mundo feliz. La precariedad del trabajo en la era de la globalización.* Barcelona: Paidós Ibérica, 2000, p. 170.

O mesmo fenômeno pode ser identificado no movimento das mulheres[314], pelo uso das normativas globais adaptadas às realidades locais, do que é exemplo o comitê formado por líderes feministas da Argélia, de Bangladesh, do Marrocos, do Paquistão e do Sudão (WLUML)[315] e que serve como centro de esclarecimento de lutas estratégicas. Uma iniciativa interessante, entre outras, no âmbito da América Latina, é a do Instituto Caribenho para a Mulher em Liderança (CIWIL) criado para capacitar e apoiar as mulheres na função política e na tomada de decisões para fomentar o desenvolvimento político e a governabilidade no Caribe.[316]

Tais lutas, se protagonizadas por instituições cuja razão existencial ultrapassa as fronteiras nacionais e que sejam representativas de direitos pertencentes à comunidade humana, impactam na medida em que expressem a interação entre o nacional e o transnacional. A formação, assim, de esferas públicas transnacionais, capazes de unir o norte e o sul e de opor-se às perversidades da globalização econômica ultraliberal, significa luta por mais qualidade de vida, por redução das vulnerabilidades, pela proteção do planeta e pela redução das discriminações que antes de serem apenas ocidentais são, sobretudo, globais.

Esse conjunto põe em destaque a relação entre democracia e cosmopolitismo. Haveria uma oposição entre ambos, na medida em que na esfera mundializada ainda não existem instituições com as feições daquelas produzidas pela modernidade e que reúnem as condições de legitimidade democrática, como as eleições livres, o direito de voto, a alternância no poder, reconhecimento e proteção dos direitos humanos, entre outros? Seguramente, o olhar refém das oposições não é aquele que nos dará as melhores respostas. É preciso entender a complexidade da mundialização a partir de outra inteligibilidade, ou seja, como deve ser reconfigurada/reconstituída a democracia na era do cosmopolitismo jurídico?

O uso instrumentalizado dos direitos humanos ao longo do planeta, especialmente pelos Estados que detêm a força econômica e bélica é, de fato, um fator de enfraquecimento da linguagem

---

[314] BENHABIB, Seyla. *Claiming rights across borders: international human rights and democratic sovereignty, op. cit.* p. 700-701.

[315] As denúncias de violações dos direitos humanos das mulheres é o objetivo desta rede internacional de solidariedade às mulheres submetidas às leis muçulmanas. Disponível em: http://www.wluml.org/fr.

[316] CEPAL. *Autonomía de las mujeres e igualdade l la ageda de desarollo sustenible.* ONU: Santiago do Chile, 2016, p. 144. Disponível em: http://repositorio.cepal.org/bitstream/handle/11362/40633/4/S1601248_es.pdf.

universalista e poderosa daqueles direitos e que, em geral, está associado no plano internacional ao "direito de proteger" transformado em pesadelo hegemônico. Mais amplamente chega-se mesmo a perguntar qual é o futuro dos direitos humanos? Qualquer resposta a tal pergunta não pode esquecer que ele está inexoravelmente ligado ao impacto das tecnologias, como o é o caso das tecnologias de informação e comunicação, o da automação avançada de manufatura que poderá alterar as cadeias de fornecimento mundial já existentes, o da tecnologia de recursos, por exemplo, para obter-se alimentos, águas e energia e o das ciências biológicas e tecnologias de saúde. Em cada um desses domínios importantes questões éticas serão produzidas, inclusive sobre o que entendemos por ser "humano".[317]

Mas como demonstrado, o uso dos direitos humanos como argumento imperialista, por um lado, ou o uso que faça parte de uma agenda emancipatória, são práticas reais de riscos e virtudes que precisam ser levadas em conta. Reconhecer o peso das fortes interações existentes entre o cosmopolitismo e o constitucionalismo, replicadas na disseminação global dos direitos humanos e na construção do fenômeno duplo da constitucionalização do direito internacional dos direitos humanos e na internacionalização dos direitos fundamentais presentes nas constituições, pode contribuir para reduzir aqueles riscos. Em virtude disso, os direitos humanos funcionam como pontes entre as duas ordens jurídicas e tem-se visto ao longo das últimas décadas uma verdadeira incorporação pelos Estados das normas internacionais protetivas dos direitos humanos, a comprovar, como referiram Anne-Marie Slaughter e William Burke-White,[318] que o futuro do direito internacional é interno.

As iterações democráticas que agasalham a participação de inúmeros atores e onde o que menos interessa são os vínculos nacionais, são um instrumento poderoso para a concretização das interações entre as normas cosmopolitas e as normas constitucionais. Por isso, é preciso levar a sério essas relações entre o cosmopolitismo e o constitucionalismo.

É um equívoco, então, reduzir as questões ligadas ao cosmopolitismo jurídico apenas ao plano moral ou reduzi-lo apenas às

[317] PETRASEK, David. Tendências globais e o futuro da defesa e promoção dos direitos humanos. *Revista SUR*, 2014, p. 48. Disponível em: http://www.conectas.org/pt/acoes/sur/edicao/20/1007247-tendencias-globais-e-o-futuro-da-defesa-dos-direitos-humanos.

[318] SLAUGHTER, Anne-Marie. BURKE-WHITE, W. The Future of International Law Is Domestic (or, The European Way of Law). Disponível em: http://www.harvardilj.org/wp-content/uploads/2010/09/HILJ_47-2_Slaughter_Burke-White.pdf.

preocupações com os direitos humanos de primeira geração como a vida, a igualdade, a liberdade e a propriedade, como fazem os defensores da globalização, posição que se reflete nos dias atuais na tímida chegada dos direitos sociais, econômicos e culturais às Cortes regionais de direitos humanos.

Por outro lado, o equívoco resta latente quando outros o assimilam a práticas neocoloniais e à reafirmação do imperialismo global. Tal percepção, ao invés de afastar, paradoxalmente, aproxima os teóricos liberais e os críticos neomarxistas como Antonio Negri e Michael Hardt com sua condenação ao "império".[319]

Na verdade, as crises globais e o avanço do desmantelamento dos direitos humanos conquistados em nível global indicam que a preocupação com a justiça distributiva e com o enquadramento das pessoas às reivindicações de direitos, deve estar na agenda do dia na forma de uma proposta séria de reconfiguração do mapa global para fazer da interdependência entre o modelo econômico excludente e perverso e os direitos humanos de todas as gerações uma questão permanente. Dar base prática ao cosmopolitismo jurídico pressupõe situar seus sujeitos e seus meios.

3.4. Atores e meios do cosmopolitismo jurídico: rumo à consolidação?

São os Estados sujeitos do direito cosmopolítico? No terceiro artigo definitivo do livro *À Paz Perpétua*, Kant centra o cosmopolitismo na hospitalidade universal que deve ser garantida aos estrangeiros. Se não há dúvida sobre o lugar dos indivíduos no cosmopolitismo kantiano, pode-se perguntar qual é o papel do Estado, ou seja, há lugar para ele no cosmopolitismo jurídico? Está este último apenas destinado a reger as relações dos indivíduos membros da comunidade internacional, e o direito internacional é aquele que rege as relações entre os Estados, como sugere o segundo artigo definitivo da mesma obra? O próprio Kant nos dá a resposta ao prever a federação de Estados livres, aos quais estão vinculados os indivíduos por razões políticas e democráticas. Para isso, dependem dos

---

[319] Esses dois autores fazem uma clara distinção entre imperialismo e império. O primeiro considerado uma extensão da soberania dos Estados europeus para além das fronteiras, perfeitamente identificados com a ideia de soberania. O segundo, destituído de um centro de poder, afirma-se como um aparelho de descentralização e desterritorializaçao que incorpora o mundo inteiro dentro de suas fronteiras porosas. *In:* HARDT, Michael. NEGRI, Antonio. *Império.*Rio de Janeiro: Record, 2005, p. 12.

Estados. Por outro lado, se admitida a exclusão do Estado do direito cosmopolítico, quem daria a este os meios de execução das normas cosmopolitas?

Nada mudou em relação ao que já é conhecido no campo do direito internacional. A comunidade humana, destinatária primeira do direito cosmopolítico, depende, e muito, da boa vontade dos Estados – quando eles querem e como querem – para concretizar as obrigações assumidas por eles próprios.

No plano prático, percebe-se que, em geral, os Estados não abrem mão de tal prerrogativa. Esse monopólio, como se sabe, apresenta dificuldades concretas aos interesses dos blocos de integração econômica, do que é exemplo a União Europeia que, embora seja um modelo de integração quase perfeita, ainda padece de uma incompletude institucional e, por isso, depende dos entes estatais para o cumprimento de muitas das suas decisões.

Frente a esse modelo, pode-se bem perceber que se o direito cosmopolítico tivesse suas próprias instituições mais poderiam ser associadas ao direito de um Estado mundial o que, inevitavelmente, seria a razão de seu próprio fim. Ora, mesmo que as amplas interações normativas do mundo globalizado rompam com a ideia de ordem jurídica restrita ao modelo do Estado-Nação, algo que no início do Século XX Santi Romano[320] demonstrou ser enormemente insuficiente, a existência de um Estado mundial seria "absurda" aos olhos da ordem internacional, como destacou Alain Pellet.[321] Logo, como já foi possível analisar, o direito cosmopolítico, tal como o direito internacional, continuará dependendo dos Estados nacionais. Em razão dessa afirmação, a resposta a pergunta que abre este item é afirmativa. Elisabeth Zoller[322] considera que os Estados são os sujeitos primeiros do direito cosmopolítico porque este coincide com os princípios republicanos e democráticos. Essa pertinência, no entanto, não é atribuição exclusiva do ente estatal, ao contrário da tradição do direito internacional.

Desde Kant o lugar dos indivíduos também restou assegurado no cosmopolitismo, determinado que foi pela existência de uma constituição civil republicana. Ambos, Estados e indivíduos, na

---

[320] ROMANO, Santi. *Ordenamento jurídico,* op. cit., p. 137-141.

[321] PELLET Alain. Les interactions normatives – Droit de l'Union Européenne et Droit international. *In: Le droit international entre souveraineté et communauté.* Paris: Pedone, 2014, p. 354.

[322] ZOLLER, Elisabeth. Le droit cosmopolitique, droit de la "fédération des États libres"du monde. Une mise en perspective fédérale. *In:* FROUVILLE, Olivier de. *Cosmopolitisme juridique..,* op. cit, p. 297-309.

percepção kantiana, são os componentes do grande Estado do gênero humano, o *jus cosmopoliticum*.[323] Por natureza, os Estados que dispõem de uma constituição republicana são abertos aos outros e para as trocas entre os homens, cenário necessário para que o direito cosmopolítico prospere e cresça. As redes globais de informação e comunicação que se desenvolveram a partir dos anos 50 do século XX reforçam simplesmente esta ideia e a apresentam como o grande diferencial em relação ao direito internacional tradicionalmente reservado às relações entre os Estados.

A peculiaridade do direito cosmopolítico em relação ao direito internacional é que seus sujeitos são plurais[324] e contribuem enormemente para a construção desse direito com feição pós-nacional. Ele agasalha todas as formas de manifestações, seja dos Estados, de organizações internacionais, de organizações não governamentais, regiões, cidades, empresas nacionais e transnacionais, indivíduos e quaisquer formas associativas que expressem solidariedade entre povos do mundo. Todos esses atores são sujeitos de direito cosmopolítico, embora seus direitos e deveres sejam diferentes. Todos são parte integrante da comunidade humana a quem devem ser dados meios para participar, exprimir-se e decidir.

Tornar-se cidadão ou ator cívico não decorreu, ao longo da história, da deferência dos Estados ou de suas instituições. Por séculos as mulheres, os índios e outros grupos de indivíduos selecionados foram excluídos da vida pública e da condição de cidadãos. As reivindicações dos sindicatos e das associações de trabalhadores no século XIX na Europa podem ser tomadas como provas das lutas empreendidas para que fossem reconhecidos como sujeitos de direito pelos Estados. No âmbito do direito internacional, os textos normativos reconheceram o direito de associação e reunião, como consta na Declaração Universal dos Direitos Humanos, mas os Estados continuaram a ser os únicos sujeitos de direito.

Razões humanitárias justificaram o surgimento das ONGs as quais não podem ser abandonadas nos dias de hoje, antes, devem ser fortalecidas e incentivadas. Esse papel humanitário foi inaugurado com a criação do Comitê internacional da Cruz Vermelha na primeira metade do século XIX. Mais de um século após, as ONGs

---

[323] ZOLLER, Elisabeth. *Le droit cosmopolitique, droit de la "fédération des États libres"du monde. Une mise en perspective fédérale*, op. cit., p. 304.

[324] São atores econômicos, cívicos e científicos, na visão de Marcelo Varella. VARELLA, Marcelo D. *Internacionalização do direito. Direito internacional, globalização e complexidade.* Tese de livre docência. USP. São Paulo, 2012, p. 81-102. Disponível em: https://www.uniceub.br/media/186548/MVarella.pdf.

tiveram sua personalidade reconhecida no âmbito do Conselho Europeu, no ano de 1986, por meio da Convenção europeia sobre o reconhecimento da personalidade jurídica das organizações internacionais não governamentais.[325]

Ao longo do tempo, inúmeras ONGs assumiram a centralidade na defesa dos direitos humanos e dos direitos dos não humanos, cujos exemplos maiores são a Anistia Internacional, o *Human Rights Watch*, a FIDH e o *Greenpeace*. O espectro protetivo foi alargado com a criação de ONGs destinadas a lutar contra a vulnerabilidade e a pobreza e para reduzir o fosso existente entre os interesses econômicos e os direitos humanos.

Soçobram exemplos de que as ONGs podem participar da elaboração de uma ordem internacional mais justa e que se inserem, primeiro, numa nova dimensão do direito internacional, ou seja, aquela do reconhecimento,[326] como refere Emmanuelle Jouannet. Porém, já em um segundo momento, entendemos que as ONGs defensoras dos direitos dos humanos e dos não humanos, são um dos sujeitos do direito cosmopolítico por possuírem uma forte autoridade moral para difundir normas cosmopolitas e denunciar comportamentos violadores daqueles direitos. Elas valem-se de sua popularidade para criar campanhas de denúncias ou valem-se de seus conhecimentos específicos e atuações particulares para empreender *lobbies*.

Graças a esta função de guardiãs da ordem internacional elas pressionam os governos, as instituições internacionais e os atores econômicos para que respeitem as normas cosmopolitas. Por outro lado, elas participam para melhorar a atuação das instituições que já existem. Inscritas no campo transnacional dos direitos humanos e ao lado das vítimas, as ONGs seguem de perto, por exemplo, a atuação do Tribunal Penal Internacional.[327] Igualmente, elas têm

---

[325] Disponível em: https://rm.coe.int/168007a683.

[326] A autora identifica três domínios que compõem o novo direito internacional do reconhecimento: a) reconhecimento da diversidade cultural; b) reconhecimento de direitos particulares que preservam as identidades dos grupos e; c) reconhecimento das violências do passado e a reparação dos mesmos. JOUANNET, Emmanuelle. *Qu'est-ce qu'une societé internationale juste ? Le droit international entre développement et reconnaissance, op. cit.*, p. 173.

[327] DELAZAY, Yves. GARTH, Bryant. Droits de l'homme et philanthropie hégémonique. In: Actes de la recherche en sciences sociales. Vol. 121-122, mars 1998. Les ruses de la raison impérialiste, p. 23-4. CONDÉ, Pierre-Yves. Causes de la justice internationale, causes judiciaires internationales. Note de recherche sur la remise en question de la Cour internationale de justice. *Actes de la recherche en sciences sociales*, 2008/4 (n° 174), p. 24-33. DOI: 10.3917/arss.174.0024. URL: http://www.cairn.info/revue-actes-de-la-recherche-en-sciences-sociales-2008-4-page-24.htm.

contribuído enormemente para a criação de instituições cosmopolitas novas, como foi o caso do Tribunal Penal Internacional[328] e do Alto Comissariado dos direitos humanos da ONU. Desse ponto de vista, o cosmopolitismo jurídico constitui-se dessas novas formas de exercício democrático, ou seja, sem representatividade parlamentar, mas participativas e deliberativas e que fazem parte do espaço público mundial.

Identificar os sujeitos do direito cosmopolítico jurídico conta apenas parte dessa história. Do ponto de vista da construção de uma prática cosmopolita em construção e em consolidação, é imperioso identificar por quais meios esse direito pode ser aplicado e, então, atuar no mundo da vida.

A impossibilidade e impropriedade de o cosmopolitismo jurídico estar ancorado na existência de um Estado mundial reforça a ideia de que ele depende dos Estados para que as normas cosmopolitas tenham existência, seja em decorrência de tratados ou do costume. Isso não quer dizer que os demais sujeitos não tenham qualquer papel e peso nesse trabalho construtivo. Ao contrário, a participação das organizações não governamentais, das empresas, dos grupos e dos indivíduos tem sido constante nos fóruns e convenções internacionais que discutem e decidem importantes questões que se relacionam ao destino comum da humanidade.

Cançado Trindade, desde alguns anos, sustentou a "legitimidade *ad causam*"[329] dos indivíduos em direito internacional derivada do contato direto dos mesmos com o direito internacional humanitário e com o direito internacional dos direitos humanos, sobretudo após o final da Segunda Guerra Mundial. Somente por força do dogmatismo ideológico, contrário aos fatos, é que os indivíduos estiveram apartados da ordem internacional. A promoção dos indivíduos à condição de sujeitos do direito internacional foi então a consequência esperada do papel que as pessoas passaram a ter na formação da *opinio juris communis*,[330] aos quais estão associadas as ONGs e outros tantos atores cívicos. Resta saber, assim, se o direito cosmopolítico se ocupa, tal qual o faz o direito internacional, de distribuir direitos a esses sujeitos e como isso ocorre.

---

[328] RAMEL, Frédéric. Diplomatie de catalyse et création normative: le rôle des ONG dans l'émergence de la Cour Pénale Internationale. *Annuaire français de relations internationales*. Paris: La Documentation française, 2005, 5, p.878-890.

[329] CANÇADO TRINDADE, A. A. L'émancipation de l'individu par rapport à son propre État: le rétablissement historique de la personne humaine comme sujet du droit des nations. *In*: ——. *Le droit international pour la personne humaine*. Paris: Pedone, 2012, p. 150.

[330] Id., p. 154.

A questão a ser considerada no que tange aos meios de atuação é a de que ao lado dos direitos assegurados deve estar um quadro de imposição de responsabilidades. A atuação das Cortes regionais de direitos humanos e dos tribunais internacionais serve de exemplo acerca da necessidade de imposição dessas obrigações e das sanções respectivas face à violação dos direitos humanos.

O desenvolvimento do direito penal internacional por meio do Tratado de Roma, do quadro de responsabilidades conquistadas no Acordo de Paris sobre o clima para os danos ambientais, a luta global para a criação de um marco normativo sobre responsabilidade das empresas transnacionais, ainda dependem enormemente da vontade do conjunto de Estados para efetivá-los. Assim, os meios restam variados e, muitas vezes, débeis ante a força das violações e dos atores que as cometem. Entretanto, o Tratado de Roma, ao tipificar as condutas que representam crimes contra a humanidade, também define as responsabilidades. O Acordo de Paris sobre o clima, embora obrigatório, não impõe sanções aos que o desrespeitarem. Contudo, traça um quadro de monitoramento dos Estados em forma de relatórios que, no mínimo, constrangerão esses atores no cenário internacional.

O reconhecimento feito pela melhor doutrina internacional de que os indivíduos são sujeitos de direito apela ao cosmopolitismo jurídico para guindá-los à condição de agentes promotores das normas cosmopolitas, com legitimidade para defender seus direitos para além das instâncias nacionais, invocando a supremacia dessas normas em relação aos direitos nacionais quanto, também, usando de vias eficazes de acesso à justiça, seja por meio de ações individuais, seja por meio de ações coletivas.

Nesse sentido, em relação à Corte Europeia de Direitos Humanos, as duas outras Cortes – Americana e Africana – deverão avançar a fim de atribuir tal legitimidade aos indivíduos. Mas o cosmopolitismo jurídico avançará rumo à consolidação quando esses mesmos indivíduos tiverem assento ou poder junto às organizações universais. Somente nesse caso é que deixarão seu estatuto de "menores" proveniente do direito internacional. A transfiguração de sujeito a agentes fará toda a diferença na agenda global das normas cosmopolitas.

Outros atores cívicos deverão, também, ser percebidos pelo cosmopolitismo jurídico se for pretensão desse adquirir sua autonomia em relação direito internacional. As organizações não governamentais devem, do mesmo modo, ser reconhecidas como sujeitos que podem assumir a condição de agentes das transformações cosmopolitas, na medida em que lhes for reconhecido o direito de participar da elaboração das normas cosmopolitas, com vistas à construção da ordem mundial.

Passar da condição de observadoras, de entidades coordenadores de mobilizações globais e de autoras de cartas de intenções e de proposições orientadoras das ações e decisões das instâncias legitimadas a confeccionar as normas cosmopolitas, para agentes com assento e voz reduzirá significativamente a distância entre essas organizações e as conferências internacionais. Elisabeth Zoller[331] refere que tudo passará pelo reconhecimento de um estatuto associativo em nível internacional. Esta seria a condição preliminar que não possui, até a presente data, uma forma jurídica concreta mas que não afasta a necessidade, cada vez mais acentuada, que os Estados têm da participação de tais organizações.

[331] ZOLLER, Elisabeth. *Le droit cosmopolitique, droit de la «fédération des États libres» du monde. Une mise en perspective fédérale*, op. cit., p. 309.

Conclusão: … razão do cosmopolitismo jurídico

ENTENDER AS RAZÕES TEÓRICAS

A razão ainda pode fazer algo contra o desumano representando pelos crimes contra a humanidade, pelos regimes autoritários, pela instrumentalização do corpo humano provocada pelo uso arbitrário da tecnologia, pela rejeição a tudo o que é "estrangeiro", pela fome, pelas doenças, pelas agressões ao meio ambiente e pelas mais amplas formas de vulnerabilidades? Lutar contra os riscos globais poderá inscrever o cosmopolitismo, sempre relegado ao plano dos ideais irrealistas, na razão jurídico-política maior do século XXI?

Com efeito, será possível passar da e/ou transformar a "razão cosmopolita", que nasceu com os antigos gregos e atravessou – não sem retrocessos – os séculos, ao "cosmopolitismo da razão jurídica", cujo maior objetivo deverá ser a renovação do humanismo jurídico na medida em que esse seja capaz de privilegiar os "processos transformadores"[332] que determinarão novos sentido para o que seja a "igual dignidade", desenvolvimento durável e solidariedade? Seremos capazes de combater as adversidades do século em curso usando de respostas feitas para outro tempo? Essa é a pergunta visceral que apresentam Antoine Garapon e Michel Rosenfeld[333] ao tratarem do terrorismo global. Qual dose de ingenuidade existe em pretender combatê-lo com mais armas e com o uso dos sofisticados instrumentos algoritmos? Quando tudo parecer insuficiente, dizem os dois autores, o que nos salvará é a construção de um novo humanismo capaz de resgatar a "alma da cidade".

---

[332] DELMAS-MARTY, Mireille. *Les forces imaginantes du droit (IV). Vers une communauté de valeurs ?* op. cit. 379.

[333] GARAPON, Antoine. ROSENFELD, Michel. *Démocraties sous stress. Les défis du terrorisme global.* Paris: Puf, 2016, p. 153.

Mas qual é essa "razão jurídica" que deve assumir a condição "cosmopolita" e que forma a expressão "cosmopolitismo da razão jurídica"? Arriscamos afirmar que essa, em primeiro lugar, é uma razão não ingênua porque consciente das críticas lançadas ao cosmopolitismo que advém das fragilidades do universalismo e dos limites do relativismo das culturas e das tradições.

Mas é também uma razão ousada porque acredita na existência de valores humanos universalizáveis e na emergência de novas categorias jurídicas[334] ainda dependentes de consolidação teórica como a da humanidade detentora de direitos e como vítima de violação desses mesmos direitos,[335] a dos bens comuns mundiais, a do patrimônio comum da humanidade, a dos animais não humanos e a da natureza, ambos como titulares de direitos.

Esse é o desenho mínimo de um amplo universo onde as interdependências entre essas diversas categorias jurídicas determinam as dinâmicas normativas globais. Elas também estabelecem o traçado de objetivos comuns que devem ter como linha mestra o destino comum da humanidade e do planeta. Em um mundo em que os interesses econômicos determinam as dinâmicas globais de produção e consumo e, em nome desses interesses a segurança fundamenta os "regimes de urgência" que invertem os princípios democráticos, o princípio da igual dignidade deve ser reforçado como inderrogável para coibir as persistentes práticas de crimes de maior gravidade.

Além disso, à base dessas novas categorias jurídicas que determinam os contornos do "cosmopolitismo da razão jurídica" a solidariedade planetária também deverá ser guindada à condição de princípio jurídico e expressão maior do "humanismo de interdependência" face ao nosso inexorável destino comum. Por essas razões, pela primeira vez na história, o cosmopolitismo jurídico advém como uma doutrina realista.

Valorizar o cosmopolitismo moral

A moral que fundamenta o cosmopolitismo dos antigos gregos, representado no cosmopolitismo positivo de Diógenes, pode dizer muito à civilização do século XXI na medida em que o modo de vida cínico, segundo a natureza e contra toda a convencionalidade,

[334] DELMAS-MARTY, Mireille. *Aux quatre vents du monde...*, op. cit. p. 134.

[335] DELMAS-MARTY, Mireille. *Les forces imaginantes du droit. Le relatif et l'universel...*, op. cit., p. 74-120.

deu o exemplo da maior virtude fundamental para todos os outros seres humanos, reprisada mais tarde por grandes filósofos, que é o reconhecimento do nosso destino comum neste planeta finito.

Aproveitar o cosmopolitismo político

A moral cosmopolita ressurge séculos mais tarde na Renascença e no curso das Luzes. Tal renascimento deve-se, principalmente, à emergência do capitalismo, à expansão dos impérios, aos processos colonizadores, às viagens através do mundo, às novas descobertas no campo da ciência e da antropologia e à revolução da burguesia na França. Por essas razões, do campo da filosofia moral o cosmopolitismo passa ao da política. A Declaração Universal de 1789 reforçou sobremaneira esse retorno, e a teoria do contrato social rousseauniana foi incorporada, inclusive, à defesa radical de um Estado mundial, como o fez o cosmopolita radical Anarchisis Cloots. Mas se hoje os teóricos do cosmopolitismo das mais variadas origens não defendem a existência desse Estado mundial, é certo que a contribuição dos primeiros teóricos para o surgimento da sociedade civil mundial deve ser enormemente valorizada. O cosmopolitismo político, que expressa tal existência, dota de realidade as políticas globais do presente que levam em conta os problemas produzidos na escala do mundo, e não apenas em escala internacional que, por assim ser, envolveria apenas os Estados. A constatação dessa realidade, como foi visto, provoca como consequência maior a necessidade de reforma dos esquemas políticos tradicionais internos e externos e, também reforça a emergência da democracia cosmopolita, cujo maior desafio é o de levar em conta a cosmopolitização do mundo e o sentimento de pertencimento ao planeta.

Evolucionar o cosmopolitismo jurídico-político

Em 1795, quando Kant disse que uma violação do direito em qualquer lugar é sentida em todos os outros lugares, antecipou em mais de 200 anos o que depois veio a ser a base da tipificação do crime contra a humanidade. Considerado o pai do cosmopolitismo jurídico, é na obra *À Paz Perpétua* que o cosmopolitismo jurídico é apresentado como a terceira expressão do direito público e inaugura o princípio da hospitalidade universal. Ele abriu a via jurídica para o reconhecimento e efetivação dos direitos com base numa concepção renovada de humanismo jurídico neste século XXI, plural e aberta, a fim de que o medo dos perigos globais e as contradições da mundialização, apresentadas na forma do endurecimento do controle das migrações, no agravamento das exclusões sociais, na proliferação dos danos ambientais, na persistência dos crimes de maior gravidade e na persistência dos crimes biotecnológicos, sejam suplantados pela via da solidariedade e pela consciência do destino comum. Evolucionar o cosmopolitismo jurídico kantiano significa inscrever o cosmopolitismo centrado no homem na política para abranger os não humanos e a natureza.

Levar a sério a crítica social

Tão extensa quanto complexa a crítica dos teóricos sociais em relação ao cosmopolitismo deve ser levada a sério. Afinal, se as vulnerabilidades e as exclusões são sentidas em todos os lugares, na promoção da redistribuição, do reconhecimento e da representação elas devem não apenas ser consideradas mas, sobretudo, determinam que a igualização pressupõe o respeito às diferenças derivadas da cultura, das tradições e da evolução democrática. A fórmula inteligente da "responsabilidade comum mas diferenciada" que restou inscrita no Acordo de Paris de 2015, transforma o universalismo abstrato em universalismo real porque "contextualizado".[336] O contexto nacional e a emergência de um "soberanismo integrado"[337] permitem graus diferentes de integração das normas internacionais e, ao mesmo tempo, rompe com o mito do nacionalismo metodológico, reivindica a existência de um cosmopolitismo normativo e destaca a importância das iterações normativas entre os variados atores da mundialização.

SOFISTICAR E FAZER EVOLUIR AS RAZÕES PRÁTICAS

De projeto político a uma política efetiva

O cosmopolitismo jurídico como projeto político expressa as posições ora mais tímidas, ora mais ousadas de seus teóricos. Como foi visto, alguns poucos preconizam o modelo de Estado mundial, outros defendem um sistema federal dotado de um conjunto completo de poder coercitivo e limitado, outros mais preferem as

[336] Esta ideia e desenvolvida por DELMAS-MARTY, Mireille. *Aux quatre vents du monde...*, op. cit. p. 139.
[337] Op., cit.

instituições políticas mundiais ao modo das muitas que já existem e que se concentram em campos específicos, como o da saúde, do trabalho, do comércio, dos crimes de guerra. Outros também são contrários a que sejam deixados aos Estados o debate e as ações sobre o cosmopolitismo.

A política efetiva no plano mundializado, no entanto, somente será realizada se as instituições internacionais já existentes adotarem padrões democráticos inclusivos, abraçando a ideia de espaço público suficientemente alargado para acolher nos processos de tomada de decisão representantes do amplo universo de atores cívicos globais. Dadas as diferenças dos canais de comunicação de que cada grupo distinto dispõe, as oportunidades para interferir nas questões decisórias de interesse também global são desiguais. Por essa razão a construção comum da esfera pública, pressuposto para que no campo da política o cosmopolitismo jurídico atenda as reivindicações dos mais vulneráveis, convida os atores cívicos à organização e à criação de estratégias eficientes para interferir no centro da política que decide sobre temas de interesse da comunidade humana.

De projeto jurídico à normatividade de direito

Do projeto jurídico kantiano longínquo aos marcos normativos internacionais protetivos dos direitos humanos que apareceram ao longo do século XX, o século em curso exige mais do que as regulações nacionais ou do que as provenientes do direito internacional clássico. Aquelas porque restritas aos interesses internos. Estas porque limitadas às relações interestatais. O cosmopolitismo jurídico se caracteriza por trazer como elemento primordial a necessidade de proteção dos indivíduos, dos grupos, dos animais não humanos e da natureza em suas relações com os Estados no plano mundializado. Daí a necessidade de estabelecer-se a centralidade e a imperatividade das normas jurídicas cosmopolitas, retratadas na noção de *jus cogens*. O encontro do fundamento moral do cosmopolitismo e da relevância da ação social no campo político para além do Estado-Nação não abdica da relevância do direito para a consolidação do cosmopolitismo jurídico.

Aprofundar as práticas

Melhorar as instituições cosmopolitas já existentes em termos de funcionamento e de estrutura é uma das exigências do cosmopolitismo jurídico. Seus defensores têm afirmado que para problemas cosmopolitas devem existir instituições cosmopolitas. Nesse sentido, o reforço dos espaços públicos da mesma natureza, bem como o reconhecimento de que a fórmula democrática deve orientar e balizar o surgimento e a aplicação das normas cosmopolitas são os pressupostos essenciais para a formação da cidadania cosmopolita, quanto para a prática da jusgenerativídade, ou seja, para a consolidação de um novo direito que é capaz de reinventar-se, de atualizar-se como efeito da capacidade de perceber que a ligação ao mundo e a consciência do destino comum da humanidade não é incompatível com os interesses locais.

Referências

ALLARD, Julie. La "cosmopolitisation" de la justice: entre mondialisation et cosmopolitisme. In: *Dissensus. Revue de philosophie politique de l'ULG* – N° 1 – Décembre 2008.

——; GARAPON, Antoine. Os juízes na mundialização. A nova revolução do direito. Lisboa: Piaget.

ANDRIANTSIMBAZOVINA, Joël. BURGORGUE-LARSEN, Laurence.TOUZÉ, Sébastian. *La protection des droits de l'homme par les cours supranationales.* Paris: Pedone, 2016.

APPIAH, A. K. *Cosmopolitanism. Ethics in a world of strangers.* New York/London: W.W. Norton & Company, 2006.

——. Cosmopolitan Patriots. In: NUSSBAUM, Martha. COHEN, Joshua (Dir.). *For love of Country?* Boston, Beacon Press, 1996.

ARCHIBUGI, Daniele. La democracia cosmopolita: una respuesta a las criticas. *Serie teoria.* Madri: Edita Centro de Investigación para la Paz, 2005, p. 11. Disponível: http://ibdigital.uib.es/greenstone/collect/cd2/index/assoc/cip0010.dir/cip0010.pdf.

——. La démocratie cosmopolite et ses critiques: une analyse. Raison publique, n° 8, avril 2010, p. 111-150. Disponível em: http://raison-publique.fr/article279.html.

——. *La démocratie cosmopolite et ses critiques: une analyse.* Disponível em: http://www.raison-publique.fr/article279.html#nb67

——. *La démocratie cosmopolite. Sur la voir d'une démocratie mondiale.* Paris: Cerf, 2009, Coll. Humanités.

ARENDT, Hannah. Origens totalitarismo. Antissemitismo, imperialismo, totalitarismo. São Paulo: Companhia das Letras, 1989.

AUGUSTIN, Saint. *La cité de Dieu.* Paris: Chez Jacques Lecoffre Et. Cia, Libraires, 1854. Disponível em: https://warburg.sas.ac.uk/pdf/bch5895b3258438.pdf.

BADIE, Bertrand. O fim dos territórios. Ensaio sobre a desordem internacional e sobre a utilidade social do *desrespeito.* Lisboa: Piaget, 1996.

BALLIBAR, Éttienne. *Des Universels. Essais et conférences.* Paris: Galilée, 2016.

BAUMAN, Zygmunt. Danos colaterais. Desigualdades sociais numa era global. Rio de Janeiro: Zahar, 2013.

BECK, Ulrich. *La mirada cosmopolita o la guerra es la paz.* Barcelona: Paidós, 2004.

——. *O que é a globalização?* Equívocos do globalismo, respostas à globalização. São Paulo: Paz e Terra, 1999.

——. *Um nuevo mundo feliz. La precariedad del trabajo en la era de la globalización.* Barcelona: Paidós Ibérica, 2000

BENHABIB, Seyla. *Another cosmopolitanism.* Oxford: Oxford Press, 2006.

——. Claiming rights across Borders: International human rigths and democratic soveréignth. Disponível em: http://www.yale.edu/polisci/sbenhabib/papers/Claiming%20Rights%20Across%20Borders.pdf.

——. Cosmopolitanism and democracy: Affinities and tensions. Disponível em: http://www.yale.edu/polisci/sbenhabib/papers/Cosmopolitanism%20and%20Democracy.%20Affinities%20and%20Tensions.pdf.

——. Democratic exclusins and democratic iterations. Dilemmas of "Just Membership. Disponível em: http://journals.sagepub.com/doi/pdf/10.1177/1474885107080650.

BERMAN, Paul Schiff. Le nouveau pluralisme juridique. *Revue internationale de droit économique*, 2013/1 (t.XXVII).

BODEI, Remo. *Tempo e storia in Ernest Bloch*. Napoli: Bibliopolis, 1979.

BOGDANDY, Armin Von. Ius constitutionale commune latinoamericanum. Una aclaración conceptual. *In:* —— *et al*. Ius constitutionale commune en América latina, rasgos, potencialidads y *desafíos*. México/Heidelbeg:UNAM/Max Planck, 2014. Disponível em: http://www.corteidh.or.cr/tablas/r32345.pdf.

BREYER, Stephen. La Cour suprême, le droit américain et le monde. Paris: Odile Jacob, 2015.

BROWN, Garrett Wallace. HELD, David (Org.) *The cosmopolitanism reader*. Cambridge: Polity Press, 2010, Introdução.

BRUNKHORST, Hauke. Alguns problemas conceituais e estruturais do cosmopolitismo global, p. 11. Disponível em: http://www.scielo.br/pdf/rbcsoc/v26n76/02.pdf.

CANÇADO TRINDADE, A. A. *A responsabilidade do estado sob a Convenção contra o Genocídio*: em defesa da dignidade humana. Haia/Fortaleza: IBDH-IIDH, 2015.

——. Le droit international pour la personne humaine. Paris: Pedone, 2012.

——; CANÇADO TRINDADE, Vinícius Fox Drummond. A pré-história do princípio de humanidade fundado no direito das gentes: o legado perene do pensamento estóico. In: CANÇADO TRINDADE. A. A. LEAL, Cesar Barros. *O princípio de humanidade e a salvaguarda da pessoa humana*. Fortaleza, 2016. Disponível em : http://ibdh.org.br/wp-content/uploads/2016/02/41216-Livro-em-portugue%CC%82s-O-Princi%CC%81pio-de-Humanidade.pdf.

CARTA Africana de Direitos do Homem e dos Povos. Disponível em: http://www.achpr.org/fr/instruments/achpr/.

CHAUVIER, Stéphane. Le cosmopolitisme institutionnel n`est-il qu`um aimable utopie? In: FROUVILLE, Olivier de. *Le cosmopolitisme juridique*. Paris: Pedone, 2015.

CHEVALLIER, Jacques. *O estado pós-moderno*. Belo Horizonte: Fórum, 2009.

CICERON, M. T. *Traité des Devoirs*. Paris: Illyon Maison d' Édition, 2016.

CITTADINO, Gisele. DUTRA, Deo Campos. Cosmopolitismo jurídico: pretensões e posições na intersecção entre filosofia política e direito. *Nomos*, Vol. 33, n. 1. Revista do Programa de pós-Graduação em Direito da UFC. Disponível em: http://www.periodicos.ufc.br/index.php/nomos/article/view/868.

CONDÉ, Pierre-Yves. Causes de la justice internationale, causes judiciaires internationales. Note de recherche sur la remise en question de la Cour internationale de justice. *Actes de la recherche en sciences sociales*, 2008/4 (n° 174). DOI: 10.3917/arss.174.0024. URL: http://www.cairn.info/revue-actes-de-la-recherche-en-sciences-sociales-2008-4-page-24.htm.

CONSEIL D'EUROPE. Disponível em: https://rm.coe.int/168007a683.

COUR DE JUSTICE DE L'UNION EUROPÉENNE. Processo T – 315/01 – Yassin Abdullah Kadi vs. Conselho da União Europeia, julgado em 21 de setembro de 2005. Disponível em: http://curia.europa.eu/juris/showPdf.jsf;jsessionid=9ea7d0f130d68fc6061035d2408cb542f81fc03dee47.e34KaxiLc3eQc40LaxqMbN4Pax0Qe0?text=&docid=59906&pageIndex=0&doclang=PT&mode=lst&dir=&occ=first&part=1&cid=53345.

COUR INTERNATIONAL DE JUSTICE. Disponível em: http://www.icj-cij.org/docket/files/126/10435.pdf.

——. Processo IT 95-16-T, par. 510 à 519, julgado em 14 de janeiro de 2000. Disponível em: http://www.icty.org/x/cases/kupreskic/tjug/fr/kup-tj000114f.pdf.

COVER, Robert. Nomos e narração. Revista Internacional de Direito e Literatura. Vol. 2. n. 2, 2016. Disponível em: http://seer.rdl.org.br/index.php/anamps/article/view/29.

CROCE, Mariano. Vers un projet cosmopolitique. Conversation entre théorie et pratique à propos du cosmopolitisme. Entrevista com Seyla Benhabib e Daniele Archibugi. Réseau Canopé. Cahiers philosophiques, n. 122, ano 2012/2. Disponível em: https://www.cairn.info/revue-cahiers-philosophiques-2010-2-page-115.htm.

DAHRENDORF, Ralph. *Dopo la democracia.* Roma: Laterza, 2001.

DELAZAY, Yves. GARTH, Bryant. Droits de l'homme et philanthropie hégémonique. In: *Actes de la recherche en sciences sociales*. Vol. 121-122, mars 1998. Les ruses de la raison impérialiste.

DELMAS-MARTY, Mireille. *Les forces imaginantes du droit* (II). Le pluralisme ordonné. Paris: Seuil, 2006.

——. *Aux quatre vents du monde. Petit guide de navigation sur l'océan de la mondialisation.* Paris: Seuil, 2016.

——. *Les forces imaginantes du droit* (IV). Vers une communauté de valeurs? Paris: Seuil, 2011.

——. *Les forces imaginantes du droit.* Le relatif et l'universel. Paris: Seuil, 2004.

DERRIDA, Jacques. *Cosmopolita de todos os países mais um esforço*! Coimbra: Minerva/Coimbra, 2001.

DESCARTES. *Discurso do método.* São Paulo: Nova cultural, 1999.

DISMANTLE CORPORATE POWER. Disponível em: http://www.stopcorporateimpunity.org/wp-content/uploads/2016/08/Campaign_Brochure_may2016EN.pdf.

CETIM. Disponível em: http://www.cetim.ch/stop-a-limpunite-des-stn/.

DOUZINAS, Costas. *O fim dos direitos humanos*. São Leopoldo: Editora UNISINOS, 2009.

DUFOUR, Dany-Robert. *L'individu qui vient après le liberalism.* Paris: Denoël, 2011.

DUPUY, Pierre-Marie. *Actualité du cosmpopolitisme jurisdique:* revenir à Kant pour mieux le dépasser? *In:* FROUVILLE, Olivier de (Dir.). *Cosmopolitisme juridique.* Paris: Pedone, 2015.

DUPUY, Pierre-Marie. Entre le retour à Kant et son dépassement. In: De FROUVILLE, Olivier. *Le cosmopolitisme juridique.* Paris: Pedone, 2015.

ELIAS, Norbert. *Os estabelecidos e os outsiders.* Rios de janeiro: Zahar, 2000.

EURÍPEDES. *Hécuba.* Disponível em: http://www.cch.unam.mx/bibliotecadigital/libros/Euripides/Hecuba.pdf.

EUROPA. EU. Disponível em:http://europa.eu/legislation_summaries/justice_freedom_security/combating_discrimination/l33501_fr.htm.

FÉDÉRATION INTERNATIONAL DES DROITS DE L'HOMME. Disponível em:https://www.fidh.org/La-Federation-internationale-des-ligues-des-droits-de-l-homme/afrique/rwanda/16686-rwanda-la-fidh-et-la-ldh-publient-un-rapport-d-analyse-sur-le-proces-de.

FERRAJOLI, L. *A soberania no mundo moderno.* São Paulo: Martins Fontes, 2002.

——. Garantismo. *Uma discusión sobre derecho y democracia.* Madri: Editorial Trotta, 2009.

FERRY, Jean-Marc. Dix thèsis sur la question de l`État européen. *Droit et societé,* n. 53, 2003/1.

FLAHAUT, François. *Où est passé le bien commun?* Paris: Mille et une nuits, 2011.

FOESSEL, Michael. *Après la fin du monde.* Critique de la raison apocalyptique. Paris: Seuil, 2012.

FORUM SOCIAL MUNDIAL. Disponível em: https://www.weforum.org/es/agenda/2017/03/un-metodo-para-reducir-la-pobreza-tan-sencillo-que-podria-funcionar/.

FOUCHER, Michel. *L'obsession des frontières.* Paris: Perrin, 2007.

FRASER Nancy. *Scales of justice: reimagining political space in a globalizing world.* New York: Columbia University Press, 2008.

——. Justiça anormal. *Revista da Faculdade de Direito da Universidade de São Paulo.* V. 108, Jan-Dez/2013.

——. *Les émotions démocratiques.* Comment former le citoyen du XXI siècle ?Paris: Climats, 2010.

——. On the Legitimacy and Efficacy of Public Opinion in a Post-Westphalian World. In: FRASER, Nancy *et al. Transnationalizing the public sphere.* Cambridge. Polity Press, 2014.

FROUVILLE, Olivier de. Qu'est-ce que le cosmopolitisme juridique? FROUVILLE, Olivier de. (Dir.). *Cosmopolitisme juridique.* Paris: Pedone, 2015

FRYDMAN, Benoit. *O fim do Estado de Direito.* Porto Alegre: Livraria do Advogado, 2016.

——. *Petit Manuel de pratique du droit global.* Bruxelles: Académie Royale de Belgique, 2014.

——. Prendre les standards et les indicateurs au sérieux. *In: Gouverner par les standards et les indicateurs. De Hume aux Rankings.* Bruxelles: Bruylant, 2014.

GARAPON, Antoine. *La raison du moindre État. Le néoliberalisme et la justice.* Paris : Odile Jacob, 2010.

——; ROSENFELD, Michel. *Démocraties sous stress. Les défis du terrorisme global.* Paris: Puf, 2016.

GEIER, Manfred. *Do que riem as pessoas inteligentes?* Uma Pequena filosofia do humor. Rio de Janeiro: Record, 2011.

GLISSANT, Edouard. *Introduction a une poètique du divers.* Paris: Gallimard, 1996.

——. *Poétique de la relation.* Paris: Gallimard, 1990.

GOURINAT, Jean-Baptiste. *Le Stoicisme. Que sais je ?* Paris:PUF, 2007.

GUEDES LIMA, Francisco Josivan. A fundamentação moral das relações internacionais pré-jurídicas a partir de Kant. *Contexto internacional.* Vol. 34. N. 2. Rio de Janeiro, 2012.

GUÉNANCIA, Pierre. L'idèe de nation d`un point de vue cosmopolitique. *Revue Esprit*, 2008. Disponível em: https://www.cairn.info/revue-esprit-2008-6-page-67.htm.

GUILLEBAUD, J-C. *Le principe d'humanité.* Paris: Seuil, 2001.

GUTWIRTH, Serge. Le cosmopolitique, le droit et les ces. AUDREN, F. DE SUTTER, L. (Coord.). Pratiques cosmopolitiques du droit. *Cosmopolitiques. Cahiers théoriques pour l`écologie théoriques pour l`écologie politique*, n. 8, 2004. Paris: L`Aube. Disponível em: http: www.cosmopolitiques.com.

HÄBERLE, Peter. *Estado Constitucional Cooperativo.* Rio de Janeiro, Renovar, 2007.

HABERMAS, J. *A inclusão do outro. Estudos de teoria política.* São Paulo: Loyola, 2002.

——. Fondamentalisme et terreur (Entretien). *In:* HABERMAS, J. *Une époque de transitions – Écrits politiques 1998-2003.* Paris: Fayard, 2005.

——. Mais que veut dire une "Europe forte"? *In: Esprit*, nº 4, mai. 2014.

——. Plea for a constitutionalization of international law. Conferência apresentada em Atenas em 10 de Agosto de 2013.Disponível em: www.wcp2013.gr/files/items/6/649/habermas.pdf.

——. *Sobre a constituição da Europa: um ensaio.* São Paulo: Editora UNESP, 2012.

——. *Ay, Europa.* Madrid: Trotta, 2009.

——. *A constelação pós-nacional.* São Paulo: Littera Mundi, 2001.

——. *Direito e democracia II.* Entre facticidade e validade. Rio de Janeiro: Tempo Brasileiro, 1997.

——. *O ocidente dividido.* Rio de Janeiro: Tempo Brasileiro, 2006.

——. *De l'usage politique des idées.* Paris: Fayard, 2005.

HARDT, Michael. NEGRI, Antonio. *Império.*Rio de Janeiro: Record, 2005.

HARVEY, David. *EL cosmopolitismo y las geografías de la libertad.* Madrid: Akal Editores, 2017.

HESSEL, Stéphane. *!Indignaos! Um alegato contra la indiferencia y a favor de la insurrección pacífica.* Barcelona: Imago, 2011.

HONNETH, Axel. *Luta por reconhecimento. A gramática moral dos conflitos sociais.* São Paulo: Editora 34, 2003.

JOUANNET, Emmanuelle. *Qu'est-ce qu'une societé internationale juste?* Le droit international entre développement et reconnaissance. Paris: Pedone, 2011.

JULIOS-CAMPUZZANO, Alfonso de. *Constitucionalismo em tempos de globalização.* Coleção Estado e Constituição. Porto Alegre: Livraria do Advogado, 2009.

KANT, I. *À paz perpétua.* Disponível em: http://www.lusosofia.net/textos/kant_immanuel_paz_perpetua.pdf.

——. *Ideia de uma história universal com um propósito cosmopolita.* Lisboa: Lusofia Press. Disponível em: http://www.lusosofia.net/textos/kant_ideia_de_uma_historia_universal.pdf.

KAUL, Inge. GRUNBERG, Isabelle. STERN, Marc. *Les biens publics mondiaux*. La coopération internationale au XXIe. siécle. Paris: Economica, 2002.

KELSEN, Hans. *Teoria geral do direito e do Estado*. São Paulo: Martins Fontes, 2005.

KOSKENNIEMI, Martti. *La politique du droit international*. Paris: Pedone, 2007, p. 318.

LAMY, Pascal. *La démocratie-monde. Pour une autre governance globale*. Paris: Seuil, 2004.

LATOUR, Bruno. *Nous jamais ont été modernes. Essai d`anthropologie symètrique*. Paris: La Découverte/Poche, 1991.

——. Quel cosmos? Quelle cosmopolitiques? *In:* LOLIVE, Jacques. SOUBEYRAN, Olivier. *L'émergence des cosmopolitiques* – Colloque de Cerisy. Collection Recherches. Paris: La Découverte, 2007. Disponível em: http://www.bruno-latour.fr/sites/default/files/downloads/92-BECK-LOLIVE-FR.pdf.

LAURAND, Valéry. Le cosmopolitisme cynique et stoicien. In: DE FROUVILLE, Olivier. *Le cosmopolitisme juridique*. Paris: Pedone, 2015.

LAZCANO, Alfonso Jaime. CUCARELLA, Luis. SALDANHA, Jânia M. L. *Sistemas regionais de proteção de direitos humanos*. Europa, Latinoamérica, África. México: Primeira Instância, 2014.

LESINROCKS. Disponível em:http://www.lesinrocks.com/2017/02/07/actualite/disparition-dun-humaniste-tzvetan-todorov-11910987/.

LEVI-STRAUS, Claude. *La pensée sauvage*. Paris: Plon, 1962.

LÉVINAS, Emmanuel. *Entre nós. Ensaios sobre a alteridade*. Teresópolis: Vozes, 2004.

LIBÉRATION. Disponível em: http://www.liberation.fr/monde/2015/05/13/migrants-l-europe-invente-la-solidarite-par-quotas_1309047.

LOURME, Louis. L`usage des fronteires d`un point de vue cosmopolitique. *Revue internationale d`étique sociétale et gouvernamentale*, vol. 17, n. 1, 2015.

——. L`usage des frontières d`un point de vue cosmopolitique. *Revue internationale d`étique sociétale et gouvernamentale*.

——. *Qu'est-ce que le cosmpolitisme?* Paris: Vrin, 2012.

MARCO AURÉLIO. *Meditações*. Livro 5. Espinho, Portugal, 2002. Disponível em: http://www.psb40.org.br/bib/b36.pdf.

MARRAMAO, Giacomo. Dopo babele. Per um cosmopolitismo della differenza. Eikasia. *Revista de Filosofia*, ano IV, 25, 2009. Disponível em: http://www.revistadefilosofia.org/25-05.pdf.

MARTIN-CHENUT, Kathia. SALDANHA, Jânia. O caso do amianto. Os limites das soluções locais para um problema de saúde global. *Lua Nova*, n; 98. São Paulo, 2016.

MELLO, Rafaela. Princípio da jurisdição universal: a deslocalização judiciária entre o dever ser cosmopolita e a realidade da cosmopolitização. Disponível em: http://coral.ufsm.br/ppgd/index.php/2-uncategorised/533-dissertacoes-2017.

MESSAOUDI, Abderhaman. Kant juge de Voltaire. *Revue Philosophique*. Tome 141. Paris: Press Universitaires de France, 2016.

MEZZETTI, Luca. *Teoria constituzionale. Principi costituzionali* – Giustizia costituzionale – Diritti umani – Tradizioni giuridiche e fonti del diritto. Torino/ Giappichelli Editore.

MILLER, David. *Justice for earthlings. Essays in political philosophy*. Edinburgh: Cambridge, 2013.

——. *Justice for earthlings. Essays in political philosophy*. Cambridge: University Press, 2013, p. 174-175. Disponível em: http://www.cambridgeblog.org/wp-content/uploads/2013/03/justice-for-earthlings.pdf.

——. *Strangers in Our Midst, The political Philosophy of Immigration*. Harvard: Harvard University Press, 2016.

MIRANDOLA, Pico Della. *Discurso sobre a dignidade do homem*. Lisboa: Edições 70, 2006.

MOLES, John. In: BRANHAM, R. Bracht e CASE, Marie-Odile-Gouzet (Org.). Os cínicos. O movimento cínico na antiguidade e seu legado. São Paulo: Loyola, 2007.

MONTAIGNE. Les Essais. Livre III. Chapitre IX. Disponível em: http://maliphane.free.fr/Philosophie/montaigne_michel_de-essais_livre_iii.pdf.

NAGEL, Thomas. The problem of global justice. *Philosophy & Public Affairs*, vol. 33, n. 2, 2005.

NEVES, Marcelo. *Transconstitucionalismo*. São Paulo: Martins Fontes, 2009, p. XXV.

NOUR, Soraya. *À Paz Perpétua de Kant. Filosofia do direito internacional e das relações internacionais*. São Paulo: Martins Fontes, 2004.

——. Os cosmopolitas. Kant e os "Temas Kantianos" em relações internacionais. Contexto internacional. Rio de Janeiro, vol. 15, n. 1. Janeiro/junho 2003.

NUSSBAUM, Martha *Reply:* In defense of global political liberalism. Developement and change. *Forum*, vol. 37, Nov/2006.

——. *Capabilités*. Paris: Seuil, 2013.

——. *For love of Country. Debating of the limits of patriotism*. Boston: Beacon Press, 1996. Também em: Entrevista. Disponível em: http://www.philomag.com/les-idees/reinventons-les-humanites-7908.

——. Kant and cosmopolitanism. In: BROWN, Garrett Wallace. HELD, David (Org.) *The cosmopolitanism reader*.

——. *Patriotism and cosmopolitism*. In: COHEN, Joshua (Org.). For love of Country: debating the limits of patriotism. Boston: Beacon Press, 1996.

——. Patriotismo y cosmopolitismo, 1994, p. 3.a Disponível em: http://www.fesamericacentral.org/files/fes-america-central/actividades/costa_rica/Actividades_cr/160806_Modulo4_AdC/Patriotismo%20y%20cosmopolitismo.pdf, p. 3.

——. *A fragilidade da bondade. Fortuna e ética na tragédia e na filosofia grega*. São Paulo: Martins Fontes, 2009.

ONU. Disponível em: http://www.reports-and-materials.org/sites/default/files/reports-and-materials/Ruggie-report-7-Apr-2008.pdf.

——. Disponível em: https://www.fidh.org/IMG/pdf/FIDH_position_paper_OHCHR_Consultation_FRA.pdf.

PASCAL, B. *Pensamentos*. São Paulo: Nova Cultural, 1999.

PASQUIER, Emmanuel. "Carl Schmitt et la circonscription de la guerre: Le problème de la mesure dans la doctrine des "grands espaces". *Études internationales* 401, 2009.

PELLET Alain. Les interactions normatives – Droit de l'Union Européenne et Droit international. *In: Le droit international entre souveraineté et communauté*. Paris: Pedone, 2014.

PERLATTO, Fernando. *Teoria crítica e novos desafios contemporâneos*. Globalização, cosmopolitsimo, democracia. Política e sociedade. Florianópolis, Vol. 15, num. 34, set/dez., 2016.

PIOVESAN, Flávia. SALDANHA, Jânia Maria Lopes (Org.). *Diálogos judiciais e direitos humanos*. Brasília: Gazeta Jurídica, 2016.

PETRASEK, David. Tendências globais e o futuro da defesa e promoção dos direitos humanos. *Revista SUR*, 2014, p. 47-58. Disponível em: http://www.conectas.org/pt/acoes/sur/edicao/20/1007247-tendencias-globais-e-o-futuro-da-defesa-dos-direitos-humanos.

PRATT, Valéry. Grand espace versus espace public mondial. In: FROUVILLE, Olivier de. *Le cosmopolitisme juridique*. Paris: Pedone, 2015.

RAMOS, André de Carvalho. *Teoria geral dos direitos humanos na ordem internacional*. 6. ed. São Paulo: Saraiva, 2016.

——. *Processo internacional de direitos humanos*. Análise dos sistemas de apuração de violações dos direitos humanos e a implementação das decisões no Brasil. Rio de Janeiro/São Paulo: Renovar, 2002.

RAMEL, Frédéric. Diplomatie de catalyse et création normative: le rôle des ONG dans l'émergence de la Cour Pénale Internationale. *Annuaire français de relations internationales*. Paris: La Documentation française, 2005.

REMAUD, Olivier. *Um monde étrange. Pour um autre approche du cosmopolitisme*. Paris: Puf, 2015.

RIFKIN, Jeremy. *O sonho europeu*. Como a visão europeia do futuro vem eclipsando silenciosamente o sonho americano. São Paulo: MBooks, 2005.

ROMANO, Santi. *O ordenamento jurídico*. Florianópolis: Boiteaux, 2008, p. 137-226.

ROTTERDAM, Erasmo de. *Elogio da Loucura*. São Paulo: Martin Claret, 2003.

SALDANHA, Jânia Maria Lopes. O "oxi" grego: Da soberania solitária à soberania solidária. Disponível em: http://justificando.com/2015/07/06/o-oxi-grego-da-soberania-solitaria-a-soberania-solidaria/.

——; VIEIRA, Lucas P. *Diálogos transjurisdicionales y reenvio prejudicial interamericano*. México: Porruá, 2015.

SANDEL, Michael. La république procédurale et le moi désengagé. In A. Berten, P. da Silveira et H. Pourtois (Dir.). *Libéraux et communautariens*, Paris, PUF, coll. "Philosophie morale", 1997.

SANTOS, Boaventura de Sousa. Os processos de globalização. SANTOS, Boaventura de Sousa (Org.). *A globalização e as ciências sociais*. São Paulo: Cortez, 2002.

——. Poderá o direito ser emancipatório? Disponível em: http://www.boaventuradesousasantos.pt/media/pdfs/podera_o_direito_ser_emancipatorio_RCCS65.PDF.

SARLET, Ingo. *A eficácia dos direitos fundamentais*. 12. ed. Porto Alegre: Livraria do Advogado, 2015.

SCHMITT, Carl. *Le nomos de la terre*. Paris: Puf, 2012.

——. *O conceito do político. Teoria do Partisan*. Belo Horizonte: Del Rey, 2008.

SÊNECA. *A brevidade da vida*. Porto Alegre: L&PM, 2007.

SÉNÉQUE. *Lettres à Lucilius*. Lettre XLVIII. Paris. Texte numérisé par S. Schoeffert – Édition H. Diaz. Disponível em: http://sescho.free.fr/S%E9n%E8que_Lettres.pdf

SINTOMER, Yves. HERSBERG, Carsten. ROCKE, Anja. Modelos transnacionais de participação cidadã: o caso do orçamento participativo. *Sociologias*. vol.14 no.30. Porto Alegre May/Aug. 2012. Disponível em: http://www.scielo.br/scielo.php?script=sci_arttext&pid=S1517-45222012000200004.

SLAUGHTER, Anne-Marie. BURKE-WHITE, W. The Future of International Law Is Domestic (or, The European Way of Law). Disponível em: http://www.harvardilj.org/wp-content/uploads/2010/09/HILJ_47-2_Slaughter_Burke-White.pdf.

——; ——. *The future of international law is domestic* (or, The European Way of Law). Harward International Law Journal. Vol. 47. Num. 2, 2006.

SOULET, Marc-Henry. La vulnerabilité, une ressource a manier avec prudence. *In:* BURGORGUE-LARSEN Laurence (Dir.). *La vulnerabilité saisie par les juges em Europe*. Paris: Pedone, 2014.

STANFORD OF ENCYCLOPEDIA OF PHILOSOPHY. Cosmopolitanism, 2002. Disponível em: https://plato.stanford.edu/entries/cosmopolitanism/.

STENGERS, Isabelle. *Cosmopolitiques*. V. 1-7. Paris. La Découverte. Disponível em: https://monoskop.org/images/a/a7/Stengers_Isabelle_Cosmopolitiques_7_Pour_en_finir_avec_la_tolerance.pdf.

——. Une pratique cosmopolite du droit est-elle possible? Entrevista com Laurent de Sutter. *In: Revue Cosmpolitiques. Pratiques cosmopolitiques du droit*, 2004. Disponível em: http://www.cosmopolitiques.com/sites/default/files/Stengers.pdf.

STIGLITZ, J. *Um autre monde*. Contre le fanatisme du marché. Paris: Fayard, 2006.

SUPIOT, Alain. *L'esprit de Philadelphie. La justice social face au marché total*. Paris: Seuil, 2010.

—— (Dir.). *La solidarité. Enquête sur un principe juridique*. Paris : Odile Jacob, 2015.

TAYLOR, Charles. Vivre dans le pluralisme. Entrevista. *Esprit*, nº 408, oct. 2014. Paris.

TODOROV, Tzvetan . *La vie commune. Essai d'anthropologie générale*. Paris: essais, 1995, p. 192.

UCLG. Disponível em: https://www.uclg.org/fr.

UNESCO. Human rights. Comments and interpretations. Paris, julho de 1948. Disponível em: http://unesdoc.unesco.org/images/0015/001550/155042eb.pdf

UNION INTERPARLAMENTAIRE. Disponível em: http://www.ipu.org/french/home.htm

VARELLA, Marcelo. *Internacionalização do direito. Direito internacional, globalização e complexidade.* Tese de livre docência. USP. São Paulo, 2012. Disponível: https://www.uniceub.br/media/186548/MVarella.pdf.

VENTURA, Deisy. *Direito e saúde global.* São Paulo: Outras Expressões/Dobra Editorial, 2013.

——. Hiatos da transnacionalização na nova gramática do direito em rede: um esboço de conjugação entre estatalismo e cosmopolitismo. *Anuário do Programa de Pós-Graduação em Direito.* Porto Alegre: Livraria do Advogado, 2007.

VERGOTTINI, Giuseppe de. *Au-delá du dialogue entre les juges. Juges, droit étranger, comparaison.* Paris: Dalloz, 2013.

VICO, Giambattista. *A Ciência Nova.* Rio de Janeiro/São Paulo: 1999.

VOLTAIRE. *Cândido ou o Otimismo.* Porto Alegre, L&PM, 1998.

——. *Dicionário filosófico.* São Paulo: Martin Claret, 2004.

——. *Traité sur la Tolérance.* Paris: Gallimard, 1975.

WALDRON, J. *What is cosmopolitan? In: The* jornal of political philosophy, 8/2, 2000. Disponível em: http://www.worldhistory.pitt.edu/DissWorkshop2011/documents/JeremyWaldronWhatisCosmopolitan.pdf

WALLERSTEIN, Immanuel. *O universalismo europeu. A retórica do poder.* São Paulo: Boitempo, 2007.

——. *A ética protestante e o espírito do capitalismo.* Lisboa: Editorial Presença, 2005.

——. *Economia e Sociedade. Fundamentos da sociologia compreensiva.* 4. ed. Brasília: UNB, 2000.

XIFARAS, M. Aprés les Théories Générales de l'État: Le droit global. Disponível em: http://juspoliticum.com/uploads/pdf/JP8-Xifaras.pdf

ZARKA, Yves-Charles. *Refonder le cosmopolitisme.* Paris: PUF, 2014.

ZIZEK, Slavoj. *A visão em paralaxe.* São Paulo: Boitempo, 2008.

ZOLLER, Elisabeth. Le droit cosmopolitique, droit de la "fédération des États libres" du monde. Une mise en perspective fédérale. *In:* FROUVILLE, Olivier de. *Cosmopolitisme juridique.* Paris: Pedone, 2015.

ZWEIG, Stefan. *Montaigne.* Paris: PUF, 2016.

ZOLO, Danilo. COSMOPOLIS. *La prospettiva del governo mondiale.* Milano: febbraio, 2008.

Impressão:
Evangraf
Rua Waldomiro Schapke, 77 - POA/RS
Fone: (51) 3336.2466 - (51) 3336.0422
E-mail: evangraf.adm@terra.com.br